エスター・ヒックス＋ジェリー・ヒックス
菅 靖彦 訳

A New Beginning II

引き寄せの法則の本質

自由と幸福を求める　エイブラハムの源流

A NEW BEGINNING II : A Personal Handbook to Enhance Your Life, Liberty and Pursuit of Happiness
by Jerry and Esther Hicks

Original English Language Publication 2001 by Abraham-Hicks Publications in Texas, USA
Japanese translation rights arranged with InterLicense, Ltd. through Owls Agency Inc.

引き寄せの法則の本質　目次

はじめに　006

Part1 「引き寄せの法則」利用マニュアル

エイブラハム、ジェリーとエスターに語る　036
1　人生を共同創造する　わたしたちの役割　040
2　人生を共同創造する　あなたがたの役割　053
3　物質的次元と見えない次元とをつなぐ　061
4　内なる世界との対話　077
5　ナビゲーションシステムを効果的に活用する　086
6　あなたのなかのナビゲーションシステムを信頼しよう　093
7　自由、成長、喜び　103
8　楽しみながら「なる」　114
9　影響力　124
10　真のバランスを見つける　132
11　引き寄せの法則　140

12 意図的創造のプロセス 146
13 あなたの力の作用点は今にある 154
14 肯定的側面の本 180
15 許容・可能にする法則 191

Part2 エイブラハムとのQ&Aセッション

Q&Aの前に 204
グループセッションでの質問と答え 206
◆エイブラハムは何を望んでいるか？ 210
◆順応者は反抗したがる 214
◆首の痛み 221
◆画一的文化のなかで変貌を遂げるにはどうすればいいか？ 224
◆シートベルト、法律、統計による評価 226
◆子どもたちの音楽の好みを信頼できるか？ 233
◆ヘルメットについて 236

◆ゲイという自由の探求者　238
◆人を弱らせる診断を下す医師　241
◆身体細胞の自然な成長　246
◆社会の信念や期待の効果　248
◆人生を修復したがっている女性　250
◆人間関係を改善する言葉　254
◆「内なる存在」との関係を深める　257
◆「聖霊」について考える　265
◆「神の介入」について考える　266
◆よりよき人生を送るための10のアイデア　271
◆楽しく生きる見本　274
◆「意図する」「欲する」「である」　281
◆悪人を排除する　285
◆アドルフ・ヒトラーについて考える　288
◆恐れる必要があるものは何もないのか？　290
◆自分が何を望んでいるか知りたい　293

◆人間はこの惑星を破壊できるか？　299
◆関節炎について考える　309
◆性転換について考える　312
◆バースコントロールとセックスについて考える　316
◆フラダンスを踊った夜　321
◆問題児たちとのワーク　323
◆世界の好ましくない諸問題に焦点を当てる　328
◆人を喜ばせて自分を見失う　330
◆ネガティブな話題を変える　336
◆行動を通しの存在証明　342
◆「欠如」を踏み台にして洞察を得る　344
◆場違いの感覚　351
◆情報を分かち合うわたしたちの務め　354
◆人生を共同創造する術　358
訳者あとがき　371

はじめに

わたしは妻のエスターの身体を介して見えない存在と対話し、彼らとの間で起こることをつぶさに観察してきた。自分たちをエイブラハムとよぶ彼らは、才能にあふれた陽気で愛すべき存在だ。だが、5年間にわたって、何千時間もエイブラハムと意図的な交流を重ねてきたにもかかわらず、わたしはいまだに、彼らが何者で、どのようにして対話のプロセスが起こるのかを、専門用語を使わずに説明することができないでいる。

しかし、電気の恩恵にあずかるのに、電気が発生する原理を必ずしも理解する必要がないのと同じで、エイブラハムがもたらしてくれる御利益《ごりやく》を受け取るのに、エイブラハムという現象が発生するメカニズムを一から十まで理解する必要はない。わたしたちの願望がどんなに大きく深いものであっても、それをやすやすと実現させる力をエイブラハムは持っている。しかも、彼らのエネルギーはわたしたちの願望と同じように尽きることがない。

あなたが自分の意志で本書を読んでいるのか、それとも、あなたに願望を成就してもらいたいと願っている他人の計らいで本書を読むことになったのかはわからない。いずれにせよ本書は、あなたが現在どの程度人生に満足していようと、新たな人生の段階に導く起爆剤となってくれるだろう。そして、「喜びの回廊を渡っていったところにあなたが望むもののすべてがある」ことを明確に示してくれるだろう。

一つ、読者の感想を紹介しておこう。「過去30年間、わたしは人生を理解しようとして勉強し、努力してきました。でも、本書を通してエイブラハムの教えに触れたことで、人生の探求もストレスも過去のものとなりました。素晴らしい気分です。生まれて初めて、楽しみながら意識的に生きているのです！」

本書を読み進めていけば、今まで漠然としていたことが、台風一過の空のように明瞭になっていくことに気づくだろう。自分の人生に応用できるさまざまな考え方や実践も見つかるはずだ。あなたは元気づけられるだけではなく、もっと人生を楽しみたいと思っている人たちを元気づけるパワーが、自分にも備わっていることに気づかされるだろう。

わたしの視点から見て、エイブラハムの考えを理解するうえで重要だと思われる個所は、太字で強調してある。本書を読めば、あなたが誕生以来、心の奥でずっと密かに感じていた宝石のような思いが、意識の表面に浮かび上がってくるだろう。「わたしは価値があり、大きな力を持った完璧な存在なのだ」という思いである。そのことを想像すると、天にも舞い上がる気持ちでいっぱいだ。

1991年5月

テキサス州バーニーにて　ジェリー・ヒックス

幸せであることが
あなたの自然な状態である。

健康であることが
あなたの自然な状態である。

あなたの世界は、
あなたがよいと思うものに
満ちている。
あなたはその豊かさに
簡単にアクセスできる。

あなたは、
自分自身が誰かにとって
価値があることを証明するために、
地球上にいるのではない。

あなたは
永遠に成長する状態にある。
あなたが現在、
立っている場所はとてもいい場所だ。

成長に終わりはない。

あなたは絶対的な自由の状態にある。
あなたが経験するすべてのものは、
あなた自身によって引き寄せられる。
あなたには自分を縛るものを
引き寄せる自由さえある。

あなたは考えるがままに感じ、
感じるがままにエネルギーを放出する（あるいは輝く）。
物質的なものも見えないものも、
存在するもののすべては、
あなたが提供するものによって影響される。
あなたは莫大な影響力を持っているのだ。

もちろん、
あなた自身の経験に
最も大きな影響を及ぼすのは
あなただ。

この宇宙のなかで、
あなたにとって真に大切な意見は、
あなた自身の意見だけだ。
あなたが自分にどのような意見を持つかが、
宇宙全体に影響する。

今日のあなたの人生は、
これまであなたが抱いてきた
思考と感情の結果である。
あなたの未来は今日、
あなたが立っている視点によって
生み出される。

宇宙の生命力、エネルギーが
あなたを貫いて流れ、
「すべてであるもの」に
文字どおりあなたをつないでいる。
あなたは注意や思考の焦点を
当てることによって、
特定のものを自分のほうに引き寄せる。

あなたがいいと思えるものと調和するものに
焦点を当て、引き寄せれば、
あなたの「内なる存在」は
ポジティブな感情をもたらし、
あなたが宇宙のエネルギーと
肯定的につながっていることを知らせる。

あなたがいいと思えるものと調和しないものに
焦点を当て、引き寄せれば、
あなたの「内なる存在」は
ネガティブな感情をもたらし、
あなたが宇宙のエネルギーと
否定的につながっていることを知らせる。

ネガティブな感情を覚えるとき、
あなたは必ず否定的な引き寄せを行っている。
そのとき、自分が望むことに
抵抗している場合が多い。

あなたが、
自分はパワフルではないと信じているのは、
自分で自分の思考と
戦っているからにほかならない。

矛盾する思考によって
自分のエネルギーの流れを
分裂させなくなれば、
自分のパワーに気づくだろう。

あなたは自分の物質的な存在を
証明する必要はない。
あなたの存在そのものが
十分な証明となっているのだ。

あなたは病気や老化を
引き寄せることによって、
この物質次元から去ることを
正当化する必要はない。
あなたは存在したいという
欲求があるおかげで、
ここにやって来て、去っていくのだ。
自ら選択すれば、
あなたはいつどこででも
存在する自由を持っている。

喜びに包まれているとき、
あなたは喜びを世界に振りまいている。

苦痛に顔をゆがめているとき、
あなたは苦しみを世界に振りまいている。

あなたは考えるままに感じ、
感じるがままにエネルギーを放出し、
自らの影響力を宇宙に浸透させる。

神、「すべてであるもの」、
あるいは見えない世界のものは、
完成した状態では存在していない。
あなたが追いつくのを待っており、
あなたの人生経験のすべてを楽しんでいる。
なぜなら、あなたが人生において考え、
感じることのすべてが、
新たな要素を「すべてであるもの」に
付け加えるからだ。

あなたは見えない世界の存在の
物質的部分に相当する。
わたしたちはともに
人生を創造する共同創造者である。
あなたは新しい視点を提供し、
わたしたちは深い気づきを提供する。

人生の基盤は絶対的な自由、
人生の目的は絶対的な喜び、
人生の結果は絶対的な成長である。

Part1

「引き寄せの法則」利用マニュアル

エイブラハム、ジェリーとエスターに語る

新たな本の執筆に取りかかるにあたり、わたしたちはワクワクしている。こうして書き連ねていく言葉が、読者の人生にとてつもない意味を持つであろうことを予測できるからだ。物質世界の未来に向けて本書を送り出すことが、うれしくてたまらない。物質的存在であるあなたがたは、わたしたちの言葉にそれぞれ独自の異なった反応を示すだろう。その一つひとつの反応を、わたしたちは貴重と見なす。一つの反応がほかの反応より価値があるということはない。言い換えれば、これといった特定の反応を期待しているわけではないのだ。すべての反応が貴重であることがわかっているのだから。したがってわたしたちには、本書によって特別な信念を授けようとする意図はない。いかなる反応を求めることもない。本書を通して、見えない世界の視点から、物質世界で生きている読者と人生の共同創造に参加すること。それが無上の喜びなのだ。

物質的な人間は往々にして、自分に新しい話題を提供しようとする者に、さまざまな理由から抵抗する。

例えば、自分があらゆる疑問に対する回答を持っていると信じているケースがある。そういう人は誕生時に周りにいた人たちが持つ伝統や信念にどっぷりつかりきっていたため、家族、教団、国家によって認められているほかに、妥当で価値のある観念が存在することを受け入れられない。

現在抱いている信念が、新たに提供された情報と混じり合わなかったり、調和しなかったりするケースもある。新しい観念が古い観念と一致しないため、強烈な不安にかられ、自分が信じる一連の信念になおいっそうしがみつこうとしたり、そうした信念を弁護したりしようとするのだ。

なかには何も求めない人もいる。何も求めようとしないため、新しい刺激や異なった刺激がことごとく煩わしいものに思え、それに抵抗するのだ。その手の人は、求めても得られないという苦い経験をたびたびしており、求めることをやめてしまっている。変化を求めて得られないよりは、現状を素直に受け入れ、変化を求めないことのほうが楽だと決め込んでいるのである。

見えない世界の視点に立って書かれた本書が、すべての人に受け入れてもらえるとは思っていない。そのことは明確に理解している。本書の価値を受け入れてくれる人たちは、成長には限りがないことを既に知っている人たちだろう。

本書によって元気づけられ刺激を受ける人というのは例外なく、現在、すべての答えを知っているとは思っていない人たちだろう。成長には終わりがないことや、あらゆる疑問に答えるたびに、もっと深い疑問が生じ、より深遠で明晰な回答を招き寄せることを、自分の人生経験から既に知っている人たちにこそ、この本はアピールするはずだ。

本書から最も大きな恩恵を受けるのは、自分が現在抱いている信念の境界の外にあるものは体験できないことを理解している人たちである。また、より大きな自由や喜び、より高度な成長の探求を妨げ得る既存の信念を修正することや、ほかの信念に置き換えることをためらわない人たちである。自分自身の貴重な人生経験を土台にして自分自身で考え、決断する勇気を備えた人たちも大きな恩恵を受けるだろう。

自分が今はまだないどんな物事や経験、人間関係、感情を望んでいるかを突き止めた人たちにとって、本書は計り知れない価値を持つだろう。

現在、困難や試練や病気、そのほかの否定的な出来事に遭遇し、なんとかして難局を乗り越えたいと思っている人たちにとっても、本書は莫大な価値を持つ。

自分の人生を意図的、創造的にコントロールしたいと心から願っている人たちを助けるために本書を提供したい。本書は、あなたが物質的身体に宿る決断をしたとき、経験したいと思ったことを後押しするために書かれている。

本書を執筆するわたしたちは今、あふれんばかりの情熱を感じ、期待に胸を膨らませている。

実際、こんなに楽しい提案ができることにわたしたちは興奮している。なぜなら、ここに書かれているようなことを探し求めている人たちが存在するのを知っているからだ。「引き寄せの法則」により、本書に書かれていることを探し求めている人たちの手に、本書が渡ることも知っているのだ。

1　人生を共同創造する　わたしたちの役割

エイブラハムとエスター、ジェリーの絆

ここにわたしたちの仲間が大勢集まり、本書を共同執筆している。あなたが今読んでいる言葉は、目に見えない次元から、あなたがいる物質的次元を観察している存在集団によって提供されている。

わたしたちは完璧にブレンドされ、見事な調和を持って存在する一つの集団である。わたしたちが一つにまとまっているのは、人生経験によって同じ結論に行き着いたからだ。結論は絶えず進化し続けているが、現在、わたしたちは同じ視点に立っている。わたしたちは、本書を共同執筆するためだけに一緒にいるのではない。「宇宙の法則」によって結びつけられているのだ。

「宇宙の法則」は、見えない次元の生命に輝かしい一貫した形態を与えている。同時に、

あなたのいる物質的次元の生命にも一貫した形態を与えている。わたしたちは似た心を持つ、見えない世界の仲間と仲良く絆《きずな》を結んでいる。同じように、物質世界の仲間であるジェリーやエスターとも絆を結んでいる。

ジェリーやエスターとエイブラハムの絆は、物理的な時空の現実からすれば、新しいものではない。むしろ、見えない次元では、長い間、友人としての絆を保ち、数え切れない人生において交流してきた。今でもそうである。わたしたちの交流にかかわっている存在はすべて、大きな満足を感じている。実際、わたしたちの楽しい仕事は、一つの物質的な人生の境界をはるかに越えて広がっている。

物質的な生き物であるあなたがたのほとんどは、物質的な視点にしがみついているため、より大きな構図を見失っている。だが、たまにはより広い自分の目的に気づくこともある。気づいた者の一部は、積極的にそれを追い求め始める。いったん、あなたがたが疑問を口に出して言うと、強力な「宇宙の法則」によって、答えが出現し始める。

わたしたちの友人であるジェリーは、若いときから人生が奥深いものであることを肌で感じ、さまざまな疑問を提示し続けてきた。そのことによって、先生を喜ばせることもあったし、逆に先生の気分を損ねることもあった。ジェリーは自分が見えない次元とつながっていることを理解していなかったが、人生には目に見える以上のものがあることを確信していた。それゆえ、彼はいろいろなことに疑問を持ち、理解するために探求し続けた。事実、「理解したい」というジェリーの強烈な願望が、宇宙の限界の外側にまで達し、見えない世界のエネルギーであるエイブラハムを招き寄せたのだ。

見えない世界のエネルギーであるエイブラハムは、ジェリーが物質世界に生まれて以来、彼の人生をずっと見ていた。だが、ジェリーの願望とエスターの許容・可能にする気持ちが混じり合うまで、わたしたちはこの壮大な意識的つながりを作ることができなかった。エスターもまた、より大きくて広い宇宙を「感じて」いた。彼女もジェリーと同じように、物質的な世の中に貢献したいと強く願っていた。だが、エスターが目に見える要素と見えない要素をブレンドして作るこの独特なレシピに対して提供してくれたのは、絶対的な信頼と無条件の「許容・可能にする術」だった。

エスターは自分の物質的エネルギーがわたしたちの見えない世界のエネルギーと同調することを許容・可能にした。それがあなたがたとのコミュニケーションの基盤になっている。エスターは無意識のレベルで、わたしたちから非言語的な純粋思考のかたまりを受け取り、それらを物質的な言葉に翻訳している。あなたがここで読んでいるすべての言葉は、エスターによって解釈された一つのラベルだといっていい。エスターは大きなかたまりとなった思考の信号をわたしたちから受け取り、その信号を無意識のレベルで消化し、読者のための言葉をつむぎ出しているのだ。思考のかたまりを提供するとき、わたしたちは訳文を読む人たちの視点を絶えず考慮している。思考の粒子一つひとつを、紙面に書かれた言葉として受け取る物質的存在を意識しているのだ。

何千匹もの蛍のようなエイブラハム

わたしたちは、本章を「ここにわたしたちの仲間が大勢集まり」という言葉で始めたが、「ここ」という言葉は、現在わたしたちが存在している、見えない次元には文字どおりはあてはまらない。「ここ」は一つの場所を指し、一つの場所は物理的な領域を指す。わたしたちは特定の物理的領域には存在していない。だが、わたしたちが物質的次元に縛られているあなたがたにとって意味のある存在になるためには、あなたがたが現在いる物質的な視点から語りかけなければならないことを発見したのだ。あなたがたは物理的な枠組みのなかでしか物事を考えられないからだ。

そういうわけでわたしたちは、知識をゆがめることなく伝えることができる手段を絶えず探し求めている。その手段とは、過剰なおとぎ話をしなくても、あなたがたの物質的体験を高めることができるものである。「ここにわたしたちの仲間が大勢集まり」という言葉を使うとき、わたしたちはそれがあなたがたにどんな映像をもたらすかを自覚している。というのは、見えない次元について考えるときでも、あなたがたは物質的な視点から自由になることはできないからだ。

見えない次元での「ここにわたしたちの仲間が大勢集まり」は、あなたがたの物質的な視点に文字どおり翻訳することはできない。わたしたちはあなたがたとは異なるからだ。わたしたちは身体を持っておらず、より自由に動き回れるのだ。わたしたちが「集まる」と言っても、地球にいる物質的な友達について語り合うために、快適な古い部屋に集まることを意味しない。わたしたちは、小さな光が寄り集まってより明るい光線となるように、お互いに文字どおり溶け合っている。

エイブラハムのためにチャネラーとして語り始めてまもなく、エスターは「エイブラハム、あなたに会いたいわ!」と言った。彼女は、見えない世界の友人のために語る、別のチャネラーが書いたものを読んだのだ。そのなかに、見えない世界の友人と視覚的に遭遇した話が詳しく述べられていた。

わたしたちはエスターに言った。「あなたがわたしたちを見るのを怖がって、夜間、目を閉じて家のなかを動き回っているのを見たよ」

エスターは笑って、今ではずっと勇敢になっており、本当にわたしたちを見たがっていることを、わたしたちに納得させようとした。

そこで、彼女が暗闇の寝室のなかでジェリーと一緒にベッドに横たわっているとき、わたしたちは言った。「目を開けて、見てみなさい」

目を開けたエスターは、後に「蛍」と語ったものを見た。何千匹もの蛍だ！　小さな光の点が部屋のなかを飛び回っていたのだ。ある時点でこれらの小さな光のすべてが部屋の一角に集合し、明るすぎて肉眼では見えない一つの光線になった。それからさほど明るくない七つか八つの光線に分散し、また何千という小さな光の点に戻った。この視覚的な体験を通して、エスターはわたしたちの見えない存在のあり方をより鮮明にイメージできるようになり、「あなたがたはエネルギーなのね」と結論した。わたしたちを光として見たからだ。さらに、エスターはわたしたちが一つに溶け合ったり、多くに分散したりする能力を持っていることを目撃し、「あなたがたは簡単に移動可能でフレキシブルに変化でき、とても自由だ」と考えた。

自由、喜び、成長

エイブラハムから思考のかたまりを受け取るさい、エスターはわたしたちを一つの存在として受け止める。一つのはっきりした合意事項が、彼女の心のなかに力強く否定できないこととして入ってくるからだ。

あなたが現在読んでいる言葉は、見えない世界の視点からやってくる。したがって、わたしたちが「どこ」からやってきたか、「どこ」にいるかということを説明しようとしても、意味のないことだ。わたしたちは過去を振り返ることに時間を割かない。自分たちが何者かを説明することにも時間をとらない。わたしたちの創造する力は現在にあることを理解しているからだ。

わたしたちは、自分たちの視点から、さらに言うなら、自分たちの現在の「存在状態」から語りかけようと思う。わたしたちは自由で喜びに満ちた成長する存在である。特に自由であることを強調したい。わたしたちが喜びや成長を選択できるのは、自由であることを通してだから。自由であることに関して、わたしたちはあなたがたや宇宙のほかのすべての存在と少しも変わりがない。わたしたちはすべて完全に自由なのだ。ところが、多くは自分が自由であることを理解していないため、自由に生きようとしない。自由は獲得されるものでも、あてがわれるものでもない。もとから持っているものなのだ。

個人的な経験や集合的な経験を通して、わたしたちは多くの結論に達した。苦痛や喜びが欠如した状態よりも、喜びに満ちた状態をわたしたちは好む。停滞よりも成長を、監禁や操作や不承認よりも自由を好む。わたしたちは膨大な体験を通して、自分たちの本性を理解するに至った。最終的にわたしたちの手で、「すべてであるもの」

の「存在状態」が高められるだろう。

成長には終わりがないということをわたしたちは知っている。なぜなら、わたしたちはすべて「永遠の今」に存在しているからだ。わたしたちのそれぞれがこの瞬間に感じる喜びや苦痛、成長や停滞、自由や束縛は、紛れもなくわたしたちが個人的に決めたことである。その事実を知っていることに、わたしたちは大きな喜びを覚える。そして、わたしたちはエイブラハムとして、絶えず自由と成長と喜びを選ぶのだ。

見えない世界の視点から見通す

わたしたちは自分たちの経験に培われた視点から――あるいは自由で喜びに満ちた成長する存在状態から――あなたがたの物質的次元にエネルギーや注意を向ける。わたしたちの視点からは、あなたがたの街や家、個々人の人生経験も見通せる。事実、あなたがたの物質的な人生の詳細のすべてが、わたしたちにはわかるのだ。だが、わたしたちはあなたがたの「存在状態」に注目する。というのも、あなたがたを取り巻く物質的な衣装よりも「存在の仕方」のなかに、はるかに多くの核心的な情報が含まれているからだ。実際、物質世界には、あなたがたが探求し、楽しめる素晴らしいものがたくさんある。あなたがたの物質世界は美しくて面白いところだということを認めよう。なぜなら、あなたがたの世界の物質のすべては、たった一つの目的のためにのみ存在しているからだ。あなたがたの「存在状態」を高めるという目的である。

成長や向上や喜びを追い求める教師であるわたしたちは、それらを追い求める人たちに文字どおり引き寄せられる。あなたがたは真剣に求めるものや、注意を注ぐものを自分のほうに引き寄せる強力な磁石なのだ。もしあなたがわたしたちを求めなければ、わたしたちはあなたを探し出すことも、わたしたちの存在をあなたに現すこともできない。強力な「引き寄せの法則」のおかげで、自身に似たものだけを引き寄せるからだ。水と油が混じり合わないように、異なった意図、視点、信念などは混じり合うことがない。

物質的存在であるあなたがたは、物質世界にいろいろな境界や限界があることを容易に見てとれるが、わたしたちの視点からすれば、いかなる境界や限界も存在しない。わたしたちの輝かしい存在状態の門には、入ってくるものを見張って、誰を入れるかを決定する門番はいない。自身と似たものを引き寄せる自然なプロセスを通して、来るべき人が集まってくるからだ。現在、わたしたちを求めても探してもいない人たちは、単に別の存在状態にいるにすぎない。

物質的次元と見えない次元は緊密に織り合わされており、引き離すことができない。あなたが知っているような物質的な生命は、見えない次元のエネルギーや支え、知識がなければ存在できなかった。物質的な地球は見えない次元の注意と知識の産物なのである。

物質的な人間は生まれてこのかたずっと、見えない次元と交流してきた。その経験は、視点や期待が変わるにつれ、大きな変化を遂げてきた。今、わたしたちはあなたがたに興奮して説明しているが、物質的次元と見えない次元との接触は新しいことではまったくない。物質的世界の記録庫のなかに、「霊と出会った」「説明不可能な出来事が起こった」「神の啓示を受けた」というような話が数え切れないほどあるだろう。物質的な人間はずっと昔から、霊感や直観を受け取ってきただけではなく、自分自身の物質的な心とは明らかに異なる源から明瞭なメッセージを受け取ってきた。

地球上での物質的な経験のみを考慮するだけでは、見えない次元との関係を理解することはできない。見えない次元との遭遇のすべてを考慮し、検討し、類似点を引き出そうとすれば、すぐにそんなことは不可能であることを発見するだろう。

物質的な人間が見えない次元と交流したという広範な体験が報告されている。それについてたくさんの書物が書かれ、混乱や懐疑を生み出してきた。混乱は大部分、物質的な人間がバラエティに富んだ経験をひと握りのカテゴリーに押し込もうとするあまり、相矛盾しあう多くの細部を無視することから起こっている。自らの信念を支えるのに、ほぼ全面的に物的証拠に頼るあなたがたは、一見いかなる物的証拠もないかに思える、見えない世界の領域を探求するとき、居心地の悪い立場に立たされる。

他人の体験を理解しようとしたり、他人の立場に立って人生を理解しようとしたりせず、あなた自身の個人的な人生体験に注目するよう勧めたい。あなたが生きている人生そのもののなかに、完璧な一貫性を持った人生の法則が隠されているからだ。

自分自身の人生の経験を観察していれば、ゆるぎない一貫した「宇宙の法則」が働いていることを理解できるだろう。あなたはどんなに努力しても、またどんなに時間を費やしても、他人の目を通して物事を見ることはできない。したがって、他人のために結論を下すこともできない。しかし、自分や自分に触れるものの価値を見極めれば、自分に関連する宇宙のすべてのものの完全な洞察が得られるだろう。

わたしたちは見えない世界の視点から本書を書いているが、物質世界の視点からそれを読んでいるあなたがたとさほど変わらない。物質的か否かにかかわらず、わたしたちはすべて生きているからだ。物質に焦点を合わせていようがいまいが、わたしたちは現在の自分を通して経験や刺激や成長を追い求める探求者なのだ。

見えない世界の視点から見ているわたしたちの焦点は簡単に拡大し、あなたがたの物質的な経験を鮮明に見ることができる。一方、物質的次元にいるあなたがたが、気づきの幅を広げて見えない次元の出来事を見るのは難しい。したがって、わたしたちはより広い視野を持っているといえるかもしれない。わたしたちは実際にその広い視野から、あなたが何者で、なぜ今、物質的次元の物質的な身体に宿っているかが、あなたよりはっきりと見えるのだ。

わたしたちは引き続きあなたがたの経験を見守り、あなたがたが自分は何者かを理解するのを手伝うために、もっとわかりやすい言葉を探そうと思う。しかし、あなたがたとのコミュニケーションにはどうしても埋められない溝がある。特に、わたしたちの存在状態をあなたがたにわかるように説明しようとするときはそうだ。人間に見えない次元を垣間見せるため多くの物語が生まれた。人間は物質的な視点に縛られているが、もっと広い視点に立って自分自身を理解する力を持っている。というのも、あなたがたは見えない領域の延長だからである。ルーツがそこにあるというだけではない。現在の物質的存在の核そのものが、見えない世界の領域に存在しているのだ。わたしたちはおとぎ話をすることには抵抗するが、コミュニケーションをとるために例や類比を頻繁に用いる。

わたしたちは、見えない次元の体験がどんなものかを、文字どおりあなたがたに伝えることはできない。なぜなら、物質的な目で見るあなたがたには、それを理解する基盤がないからだ。そこでわたしたちにできるのは、あなたがたが理解していることに適用できる原理や法則を提供することだけである。わたしたちが明確にしたくない話題などはない。ただ、見えない次元の物事にかかわることについて、物質的な人間に明らかにするのは不可能だということを、わたしたちの経験は告げている。けれども、あなたがたが物質的次元で経験していることについては、曇りなく明らかにすることができる。

ここまで、簡単な導入と、わたしたちが何者で、なぜあなたがたと交流しているかを述べてきたが、これから、あなたがたに焦点を当て、なぜあなたがたがこの物質的次元に存在しているか、どうすればすべての次元に存在する永遠無窮の法則を理解することを通して、あらゆる望みを達成できるかを取り上げていきたい。

あなたがたに力強い「今」という感覚を取り戻してもらいたいのだ。わたしたちがあなたがたを見ているように自分自身のことを見、素晴らしい未来の入り口に立っていることを知ってもらいたいのだ。期待を胸に秘めてこの世に生まれてきたときに感じたあのすてきな冒険の感覚を取り戻してもらいたいのだ。あなたがたはこの世に生まれてきたとき、新たな始まりに立ち会っていることを確実に知っていたのだから。

2　人生を共同創造する　あなたがたの役割

見えない世界についての信念

物質世界は見えない世界のエネルギーによって隅々まで支えられてきたし、今も支えられている。物質的な存在であるあなたがたを生み出し、現在、支えている当のエネルギーは、見えない次元から物質世界に焦点を当てている。見えない次元は、最先端の思考ないしエネルギーの源であり、その思考やエネルギーが物質世界を支えている。あなたの身体は、物質的次元にある物質と、あなたを支えている生命力（もしくはエネルギー）から成っている。生と死を医師が判別するのは、この生命力というエネルギーに基づくが、このエネルギーは見えない次元から生じる。あなたの世界（や身体）を、見えない次元から切り離すのは不可能だ。二つの次元は永遠に織り合わされているから。

人間はこの地球上を歩き回るようになって以来、見えない次元と意図的に交流し、さまざまな解釈を施してきた。その解釈はバラエティに富み、しかも絶え間なく変化している。見えない次元に関する人間の信念を、大まかにでも要約しようとすれば、本書並みの書物が何冊も必要となるだろう。よってここでの議論は主として、あなたがたに焦点を当て、現在の人間の見えない次元についての見方に絞りたい。

あなたがたが見えない次元をより明瞭に理解するのを手伝うこと、それがわたしたちの望みだ。物質的次元と見えない次元との関係を理解することが、満足のいく人生を送るのに欠かせないことを、わたしたちは知っているからだ。見えない世界の領域が曖昧模糊とした神秘的なものとして、誤解されたまま手の届かないところにとどまっている限り、見えない世界と意図的に有意義な交流をするのは不可能である。現在に至るまで、ほとんどの物質的存在は、この広大な宇宙のなかに自分の居場所を見つけられなかった。あなたがたは、自分が何者なのかわかっていない。現在、なぜ物質的存在なのかもわかっていない。地球との関係や、物質的次元を超えた存在との関係もわかっていない。自分がどのようにして存在しているのか、存在するために、今、何をなにゆえにする必要があるかもわかっていない。ほとんどの人間は混乱しているため、意図的に何かをするということがない。大半の物質的存在は大海に浮かぶ小さなコルク栓のようなもの。強い潮の流れに流され、たびたび大波に飲み込まれて沈んではまた浮き上がり、次の大波を戦々恐々として見守るのだ。そのような状態では、守るのが精一杯で、自発的に行動することなどできない。

「内なる存在」の意義

多くの人間は、物質的な身体に宿る前に、なんらかの形を持って存在していたと信じる。また、物質的に存在することをやめたあとも何かが続くだろうと信じている。あるいは願っていると言ったほうがいいかもしれない。大半の人間は、全体像の断片しか知り得ない。人間の誤解の多くは、死にこだわりすぎることから生まれる。生と死という枠組みに照らして考えるあまり、最も重要なポイントを見逃しているのだ。生と死など存在しない、ということである。生しか存在しないのだ！　永遠に絶えることのない生しか！

自分の過去生の体験について語る人たちがいる。ときに彼らは前世やそれ以前の自分について事細かに語る。そして、過去生をきちんと年代順に並べて要約する。そうした情報の多くは確かに正確ではあるが、真の自分を理解するのを妨げる共通の誤解を含んでいる。人間が生死を繰り返すことで、物質的次元と見えない次元を行ったり来たりすると考えていることだ。そうではないのだ。

あなたは今、物質的な身体を持っていろいろな体験をしているが、同時にあなたの一部は、見えない次元に存在している。年齢を重ねた賢いその部分は、目には見えないが、あなたの物質的な目よりもっと広い視野を持っている。見えない世界にある、あなたのその部分を言い表すのに、「魂」とか「ハイアーセルフ」という言葉が使われてきたが、わたしたちは「内なる存在」という言葉を使いたい。

「内なる存在」は、あなたがこれまで生きてきた物質的次元と見えない次元、双方での人生や経験の集大成として存在する。それは、この物質的な時間と場所であなたがしているもろもろの経験を糧にし、進化し続けている。

物質的次元と見えない次元に同時に存在するという考えは、あなたがたにとって受け入れがたいことかもしれない。わたしたちと何ヶ月も交流してきた物質世界の友人の一人はよくこんな質問をする。「エイブラハム、あなたがたは物質だったことがあるのですか?」「エイブラハム、なぜあなたがたは物質的ではない存在形式を選んでいるんですか?」彼はいずれかでなければならないという信念にいまだに囚われている。

わたしたちは、現在、物質的な形をとっているあなたがたの見えない部分に相当する、形を持たない存在の集団である。現在、物質的な身体を通して生きている人は皆、自分を知り尽くしている見えない部分を持っている。その部分を、わたしたちは「内なる存在」とよぶ。

多くの人はなぜ過去生を思い出す幸運に恵まれないのだろうと嘆く。彼らはときに、新たに生まれ変わり、あらゆることを学び直さなければならないことを恨みに思ったりする。一部の者は、忘れ去られた強力な知識を見いだしたいとの思いから、過去生の体験を懸命に掘り起こそうとする。そうした知識を見いだせば、今の人生がもっと有意義で生産的なものへと魔術的な変貌を遂げると信じているのだ。しかし、過去の体験から恩恵を受けるために、過去生を思い出す必要はない。あなたは、あらゆる情報を握っている「内なる存在」から切り離されたことはなかったし、これからもないからである。

地球に誕生した目的

物質的な身体に宿る前、あなたは「過去の経験を事細かに思い出さない」という取り決めに合意した。物質的な目を通して見た過去の経験の詳細が混乱を引き起こすだけだということが、展望のきく視点からよく見えたのだ。あなたは過去の体験を繰り返す傾向が自分にあることを思い出した。だから、この世の時間と場所にもっぱら焦点を当てようという意図を持って身体に宿ったのだ。あなたはこの物質世界での体験を、さまざまな意図を持ってこの世に生まれてきたほかの存在と交流する機会と見なした。言い換えれば、新鮮な思考や経験に触発される純粋な機会と見なしたのだ。

心や思考のあらゆる組み合わせが、宇宙に付け加えられる。あなたが他人と交流するたび、二人の組み合わせが、唯一無二のものとして宇宙に付け加えられる。それぞれが異なった意図や経験を持っているからだ。あなたのなかの知識には、かかわった人たちのさまざまな側面のすべてが混ぜ合わされている。それゆえ、誰にもないユニークなものなのだ。

あなたが本書を手にして読みながら、知的、感情的に反応するとき、唯一無二のものを宇宙に付け加えている。なぜなら、ほかの誰一人としてあなたと同じ反応はしないからだ。

物質的な身体に宿る決心をしたとき、あなたは物質的な人生経験によって創造の最先端に送り込まれるのをよく承知していた。あなたがワクワクして意図的に地球に生まれてくることを選んだのは、そのことによって「すべてであるもの」に新たな価値を付け加えられることを理解していたからだ。地球に誕生するのは、自分自身を証明し、より大きな報酬を得るためではなく、独自の視点から人生の創造に参加するためであることを、あなたは生まれる前から知っていた。宇宙にもう一つの明晰さを加えることが目的であることを知っていたのだ。

あなたは多くの古い友人と交流することを期待し、ときに綿密に出会いの計画を立てた。あらゆる交流にかけがえのない価値があることをわかっていたので、まだ会ったことのない人との交流も期待した。

このように主張する者もいる。「だけど、エイブラハム、もし来世に何もかも忘れてしまうのなら、今生において苦労しながら学ぶことにどんな価値があるのでしょう？　努力することや成長することの目的は一体なんなのでしょう？」

心配せずともよい。あなたの経験、努力、成長は決して無駄にならない。あなたの「内なる存在」が、過去や現在のすべての経験を一部始終蓄積しているからだ。それらの経験にあなたはアクセスできる！　それらは「感情というナビゲーションシステム」の形をとって、絶えずあなたを導いている。目覚めている間、いつもあなたをナビゲートしているのだ。実際、この「感情というナビゲーションシステム」は崇高なものであり、誕生以来、あなたがしてきたどんな体験よりもはるかに価値のあるものなのだ。

あなたはすべての経験を覚えている必要もないし、過去の経験の詳細を覚えている必要もない。それらの経験から引き出された重要な結論にアクセスできるのだから。過去生を追いかけるのは、3歳のときの活動を振り返るようなもので、多くの時間を費やすほどの価値はない。だが、3歳のときの体験を通過してきた今のあなたでいることには、とてつもない価値がある。また、今この人生で一瞬一瞬、選択と決断をするにあたって、すべての過去生でしてきた経験から得た知恵をよりどころにし、導きにするのはすこぶる賢明なことだ。

過去生を思い出そうとしたり、思い出すことに時間を費やしたりすることは、多少の楽しみをもたらすぐらいで、実質的にはほとんど役に立たない。だが、すべての過去生の集大成にあたるあなたの一部と、今、意識的につながることは、莫大な価値を持つ。実際、身体として存在するあなたの物質的部分と、見えない次元に存在するより広い、年とった、賢い「内なる存在」との混合は、両者の世界を高める素晴らしい組み合わせとなる。

3 物質的次元と見えない次元とをつなぐ

行動するばかりで喜びを感じていない人間

何事を理解するにも、まず「内なる存在」を知ることが、基本的な出発点となる。あなたが生まれ落ちた物質世界で楽しく成長しながら生きていくためには、自分の「内なる存在」を認め、それが持つ広い視野を受け入れなければならない。そうした広い視野を持たない限り、あなたは大半の人間と同じように、意図的に何かをしようとしても大きな限界に突き当たるだろう。

あなたがいる物質世界では、ほとんどの人が「すること」に心を奪われている。極端に行動を重視する世界、そんな世界にあなたは生まれてきたため、「すること」に大きな価値を置くのだ。多くの人は、時間が許す限りあちこち動き回っていろいろなことをしているが、ほとんど達成感がなく欲求不満に陥っている。

エイブラハムと意識的につながる何年も前のこと、エスターは学業の合間に、心の病と考えられている人たちの施設で働いていた。ある朝、病院の敷地内の道を歩いていると、ばかでかい機械に乗った何人かの患者が土の山を動かしていた。最初の日、彼らは土の山を庭の一角から別の一角に運んでいた。翌日、同じ土の山をさらに別の一角に運んでいた。だが、その次の日には、また最初にあった場所に戻していた。エスターは付き添いの一人に尋ねた。「彼らは何をしているの?」「別に何もしていません。ただ、彼らを忙しくさせているんです。彼らにすることを与えているんです」と付き添いは答えた。

エスターはむなしさを噛み締めながら言った。「彼らの人生にだって、ただ土を動かすことだけ以外に、したいことがあるに違いないわ」

何年後かに、彼女がその話をしてくれたとき、わたしたちは言った。「エスター、君の気持ちを傷つけるつもりはないけど、物質世界のすべての住人がほとんどの時間やっているのはそれなんだよ。ただ、物を場所から場所へ動かしているだけなのさ」

何かを成し遂げることや、成長することには、偉大な法則が働いているが、あなたがたはそれを理解していない。それゆえ、ほとんどの人は周囲の物を動かし続けることによって、前進しているかのような錯覚を抱く。あなたがたは地球上での生存を正当化する一手段として、行動したり、重労働に励んだりすることが多い。働いたり、何かをしたりしているとき、ほとんどの人は、「後ろ向き」に創造している。常に行動的であろうと願い、起こっているすべてのことが自分の行動の所産であると信じているのだ。

内なる次元によってもたらされる広い視野がなければ、地球上での経験は著しく制限される。「すること」や「行動」にのみ頼っていると、できることが必ず制限されるからだ。だが、内なる世界の広々とした視野と物質世界の視野とが合体することを許容・可能にすれば、地上での創造や達成に手を貸してくれる宇宙のパワーにアクセスすることができる。音楽や芸術や科学の世界には、あなたがたが天才とかマスターとよぶ人たちがいる。その多くは、あなたがたとまったく同じ物質的存在にすぎない。ただ単に、彼らはより広い知識にアクセスすることを自分に許容・可能にしたのだ。自分自身のより広い知識に通じる扉を開け、無限の知性に文字どおり触れ、自分の願望を引き寄せたのだ。本質的に自分と同じであるにもかかわらず、あなたがたは彼らを特別視し、並外れた人物として敬う。彼らを並みの人間と分かつのは、「すべてであるもの」とのつながりを認識していることだけである。

物質世界を観察していると、大半の人が「する」ことにかまけ、大変忙しくしているのがわかる。みんな狂ったように何かを「している」が、楽しんでいるようにはとても見えない。一部の者たちは成長するためや、報酬をもらうために、意図的に楽しみを「犠牲」にしている。実際に喜びや楽しみを得たいと思っている者もいるが、瞬間的にしかそれを味わえないようだ。

普通、あなたがたは、未来のどこかで自分の求める満足が得られるだろうと期待する。来るべき週末、長期休暇、退職後に期待を寄せるのだ。「もっとお金があったら、幸せになれるだろう」「非の打ちどころのない伴侶が見つかれば、幸せになれるだろう」「自分にぴったりの仕事が見つかれば、幸せになれるだろう」大半の人間は楽しみや満足感を未来に期待するが、今、ほとんど喜びを感じられない。だが、何かを実感できるとすれば、今、このときしかない。

わたしたちが今、物質的な人間と交流している理由——そして本書を執筆している理由——の核心にどうやらたどり着いたようだ。あなたがたが、自分は何者で、なぜ物質的な身体を持ってここにいるかを最も広い視野から理解し、今、喜びを見いだせるプロセスと法則を認識し、活用するのを手伝うこと。それがわたしたちの主要な目的なのだ。つかの間の未来の喜びではなく、永遠に消えることのない実質的な至福の成長体験を味わってもらいたいのだ。

人生というゲームのルール

あなたがたはめいめい、物質的な視点だけではとらえきれない存在である。物理的な年齢よりも長く、さまざまなことを経験・学習し、達成してきたからだ。物質的な時間と空間の一部になることをあなたがたが意図的に選んだのは、物質的な枠組みが思考や経験や創造を可能にするからにほかならない。あなたがたは膨大な知識と力の資源を持っている。にもかかわらず、それらの資源を活用している者はほとんどいない。それは、活用することを望んでいないからではなく、活用の仕方がわからないからだ。あるいは、そうした資源を持っていることに、まったく気づいていないからだ。

身体に宿ってこの物質的次元に生まれたとたん、あなたは自分を取り囲む物質世界の一部になり、強力な影響力にさらされるようになった。その影響力は物質的な用語で説明できる範囲を超えている。

実際、物質的環境のなかにあるもので、物質的な用語だけで説明し尽くせるものはない。そのためあなたがたは、理解していないものを無理矢理なんらかの論理に押し込めようとする。その結果、ほとんどの人間ははなはだしい思い違いをした目で物事を見、暮らしている。それはルールがはっきりしていないゲームをプレイするようなものだ。ゲームの要点がわからないため、ほとんど満足が得られないのだ。

以下にはなはだしい思い違いをいくつか列挙してみよう。

「わたしは努力と緊張を通して物事を起こさせる」

「偉大なことを成し遂げるには、苦しみと重労働が必要である」

「身体を酷使すればするほど、効力が増し、勝利に近づく」

「物事を起こさせるのは行動である」

以上のような前提の下で働いていると、はなはだ不利な立場に立たされ、能力を発揮できなくなるだけではなく、普通はすぐに打ち負かされて、疲れてしまう。何年間も成功することなく働いたあと、ほとんどの人は挑戦するのをやめ、ほとほと疲れきって夢をあきらめる。そして、自分の失敗を正当化するため、同じように挫折した人たちを探すようになる。

希望を持っているのはたいてい若い人だが、彼らの希望も長くは続かない。挫折した人たちの例に強く影響されるからだ。

本書を読み進めていけば、喜びを見いだす助けになる、明瞭でシンプルな「ゲームのルール」を発見することになるだろう。

物質的次元と見えない次元

本書の冒頭で、あえてそれを繰り返し強調しているのは、あなたという存在の広がりを理解してもらいたいからだ。わたしたちの最初の狙いは、「あなたがたの」経験が誕生から始まったのではないことを理解してもらうこと。そのことを知ってもらえない限り――あるいは少なくとも理解しようとしてもらえない限り――、本書で提示する大半のことはあなたがたにとってなんの益にもならないだろう。

物質的なあなたと、より広がりを持った年とった見えない世界のあなたとのつながりは、人生のさまざまな謎を解き明かすためのミッシングリンクであり、あなたがこの世に誕生する前に思い描いていた壮大な生産的人生を送るための鍵なのだ。

身体に宿る前、あなたは物質世界に存在する影響力を理解していた。過去生の体験でそれを鮮明に覚えていたからだ。それらの影響力をバランスさせるために、再び物質的領域に入り込むことを切望したのだ。

物質的次元と見えない次元との通路を意図的に開く方法を、これから詳しく教えてあげよう。それができれば、二つの次元間で対話のやり取りが可能になる。これから述べるプロセスは、あなたがたのエネルギーを同調させる助けにもなるだろう。いったん、同調が成立すれば、両方の次元とも多大な恩恵にあずかるようになるだろう。

あなたが見えない次元に通じる扉を開けるのを手伝うのは、あなたの意識を物質的な気づきからそらすためではない。物質的な存在であるあなたに、明晰さや力強さ、さらにはより偉大な目的を与えたいがためにそうするのだ。物質的な存在と「内なる存在」との間に、そうしたつながりを作るまでは、あなたが身体に宿ったときに抱いていた意図を満たすことはできないと断言できる。

この物質的次元には、楽しい経験がたくさんある。だが、なんといっても最も刺激的なのは、物質領域に生まれてきたときにあなたが持っていた、より広い意図と調和する決定を下すことだ。

あなたの経験は見えない世界の領域によって支えられているので、あなたが「内なる存在」から切り離されることはあり得ない。あなたは身体に宿った日から、内なる自分と交流してきたのだ。「内なる存在」の支えがなければ、あなたは何も知り得なかった。ただ、内的なあなたはあなたの欠かせない一部であるがゆえ、あなたはそれに気づかないのだ。同じように、内的世界はあなたの物質世界の一部であるゆえ、あなたにはそれが見えないのだ。

現実の基盤を物質に求めている限り、あなたの経験は、物質世界のなかで行え、説明可能なものにどうしても狭められてしまう。しかし、「内なる存在」を受け入れ、その世界や「内なる存在」との個人的な関係を思い出せば、地上での体験を余すところなく味わえるようになるだろう。

エスターは車を運転してきてくれたジェリーのために門を開けようと、門のところまで歩いて行った。門のところに立って待っていたとき、空がこれまでにないほど美しいことに気づいた。深い色をし、普段とは違っていたのだ。それまでなら遠すぎて聞こえないような鳥のさえずりさえもはっきり聞こえた。空気中には嗅いだことのないかぐわしい香りが漂っていた。肌に触れる空気の感覚も素晴らしかった。たたずんでいる彼女の頬を伝って、涙が流れ落ちた。大声で彼女は言った。「今までこんなに甘美な経験はなかったわ」それから、突然気づいてエスターは言った。「エイブラハム、あなたなのね」

わたしたちはエスターの唇を借りてゆったりと微笑んだ。わたしたちが彼女の目を通して見、彼女の耳を通して聞き、彼女の鼻を通して匂いを嗅ぎ、彼女の肌を通して感じていることにエスターが気づいたからだ。実際に、わたしたちはエスターの身体を通して物質世界の面白さを楽しんでいたのだ。

わたしたちがあなたに望むのは、自分自身の「内なる存在」と同調し、相互作用することの大切さを理解してもらうことだ。

エスターは考えることを意図的に選択することによって、エイブラハムとの充実した相互作用を許容するレベルまで、自分自身の波動を高めた。一日を始めるにあたって、彼女は自らの意図を明確にしていた。

「今日、どこに行こうと、何をしようと、誰と交流しようと、自分を気分よくしてくれるものを探そう」

「内なる存在」によって提供される力強さの感覚や知識を認め、経験する場合にのみ、あなたは物質世界のなかでいかなる限界も感じないでいられる。物質的環境のなかで、意図的に創造し続けるには、宇宙の永遠無窮の法則を覚えていなければならない。物質的な自分と内なる自分を意識的にブレンドしない限り、あなたは身体に宿ったときにやろうと思っていたことをやり遂げ、自分の全体性に付け加えることはできない。

わたしたちは教師として、言葉が何も教えないことをずっと以前に学んだ。学びは人生経験を通してもたらされるのだ。

わたしたちがここに提供する言葉は、あなたに過去の経験を思い出させ、来るべき経験をより明確に認識するのに備えさせるためのものだ。いくら説明に言葉を費やしても、現実の直接体験ほどの価値は持ち得ない。わたしたちはあなたと対話したがっている「内なる存在」とその価値について、何千ページでも書くことができる。しかし、それをすべて読んだところで、簡単なエクササイズがもたらしてくれるような洞察さえ得られないだろう。したがってわたしたちは、あなたが貴重な直接体験ができるよう、物質的なあなたと内的なあなたとの通路を開くプロセスを一歩一歩明らかにしていくつもりだ。

「内なる存在」につながる手順

内なる世界や「内なる存在」を受け入れようとするのであれば、また、より豊かな対話や、あなたのために存在する知識、力、明晰さの宝庫を活用したいと望むなら、次のような手順を踏まなければならない。

まず「そうした通路を開きたい」という願望を抱くことが大切。求めなければならないのだ。次に必要なのは、特別の時間をとって、それを許容・可能にすることだ。毎日、15分から20分の時間をとって、心を鎮める意図を持って座ってもらいたい。毎日同じ時間である必要はないが、一日たりとも逃さず、一貫してやることがきわめて重要である。なぜなら、このプロセスは徐々に進展していくものだからだ。

心を鎮めるとは、毎日、数分間座り、何も考えずに心が安らいで鎮まるのを許すことを意味する。あなたにとって、それは容易なことではないだろう。あなたの思考メカニズムは刺激に敏感に反応しやすいからだ。だが毎日、短い間でも、心を鎮めることが肝心である。

「どうすれば眠らずに心を鎮めることができるでしょう?」と多くの人が尋ねる。

それは大変いい質問であり、重要なものだ。なぜなら、眠りに落ちると、心を鎮めるプロセスは停止してしまうからだ。もし紙にグラフを書くとすれば、完全に目覚めている状態をグラフの一端で示し、眠りに落ちた状態をその対極で表すことになるだろう。あなたが目指すのは、眠りに落ちた状態を示す端にきわめて近いながらも、目覚めたままでいる、ということだ。ときに、ほとんど考える必要のない何かに集中すると助けになる。例えば、蛇口から滴り落ちる水滴の音、ちらちらと燃えるロウソクの炎など。自分自身の呼吸に注意を集中するだけでも効果がある。物質的な自分と見えない世界の自分との通路を開く最初の目標は、物質的な領域から意識的に思考を離し、静かに座って、見えないものと永遠につながることを自分に許容・可能にすることにある。物質世界を意識しなくなったときに初めて、精妙な目に見えない世界を感じられるようになるのだ。けれども、座り始めてすぐに、見えない世界を見、感じようとしても無駄である。あなたの目標はたった一つ、「わたしは心を鎮めるという意図を持って座っている」ということで十分だ。

たとえ数秒間でも、意識的な思考のメカニズムを黙らせることに成功すれば、身体が普段と違って感じられる。しびれや重さを感じるだろう。エスターは鼻とつま先の区別がつけられなかったと言う。身体のあらゆる部分が一つになったかのように感じられたからだ。

　このしびれや重さは、意識的な思考メカニズムを黙らせることに成功したことを示している。その瞬間、あなたはエネルギーとの同調を許容・可能にする状態にある。最初の目標が達成された今、あなたの「内なる存在」が仕事をする番だ。完全に許容・可能にする状態で座っていると、「内なる存在」があなたのエネルギーと同調するようになり、内的世界のより速い高周波エネルギーを、物質世界の遅い低周波エネルギーと融合させ始める。それが起こっている間、あなたがすることは何もない。心を鎮める意図を持って座っていればいいのだ。そのプロセスに積極的にかかわろうとすると、しびれの座を見失い、「内なる存在」の仕事を邪魔することになるだろう。

　毎日、心を鎮めることに成功し、エネルギーの同調を許容・可能にしていれば、エネルギーの混合が進み、やがて筋肉がひきつったり、肌がむずむずしたりする身体感覚を覚えるようになるだろう。この感覚はエネルギーの同調が進んでいる証拠であり、この感覚に囚われてはならない。囚われれば、しびれる状態にとどまっていられなくなるだろう。あなたはひたすら心を鎮めることに専念し、静かな場所に集中していればいいのだ。

　もし自分で動かそうとしないのに動きが生じたら、例えば手や頭が動いたり、指やつま先が小刻みに震えたりしたら、エネルギーの同調が対話のプロセスを始められるところまで進んだことを意味する。あなたが意図しないのに身体が動いたら、動かそうとする意図が、見えない「内なる存在」から送られてきたもので、自分はその衝動や意図の意識的な受信者であると理解してもらいたい。いったんそれが生じれば、見えない次元から物質的次元への思考の意識的な伝達と受容が無事に行われたことを表す。

最初に心を鎮める決心をし、動きを受け取るまでにかかる時間は、人によって異なる。このプロセスがうまくいくかどうかを決定的に左右する要因を以下に掲げておこう。

①この同調のプロセスをあなたがどれだけ強く望んでいるかの度合い。あなたは心の底から自分の内なる次元と交流したがっているだろうか？　それとも、葛藤や気後れする気持ちを抱いているだろうか？　あなたの願望が純粋で、心配や疑いによって妨害されていなければ、同調のプロセスは迅速に進むだろう。あなたがいい気分であればあるほど、プロセスは速まるのだ

②あなたの願望の背後にある推進力。この交流をあなたは肯定的な意図を持って求めているだろうか？　それとも、否定的な意図を持って求めているだろうか？　言い換えれば、より多くの自由や喜び、さらなる成長を求めているだ

ろうか？　それとも、自分が引き起こした人生の混乱を「内なる存在」に収めてもらいたいと思っているだろか？　この場合も、気分がよければよいほど、プロセスが速まる

③この同調を許容・可能にするあなたの意志の強さ。座るたびに、自分の心を鎮めることに成功し、少なくとも1、2分、私心のない状態やしびれる状態になれただろうか？　それとも、静かにしている間、心が思案し続けていただろうか？　もし心を鎮めることに困難を感じるなら、思考の刺激をたくさん受ける以前、つまり一日の始めに座ることを試してもらいたい

通路を開くのに要する時間をあらかじめ予測することはできない。あなたが強く願望し、同調を進んで許容・可能にすれば、プロセスが急速に速まる可能性がある。

エネルギーの同調はきわめて精妙なプロセスなので、物質的立場から行うことはできない。身体の内部にあるエネルギーの中心はたくさんありすぎて、簡単には突き止めることができないのだ。けれども、あなたの「内なる存在」はそれぞれのエネルギーの中心を余すことなく自覚し、各中心の波動レベルを完璧に把握している。この仕事をこなせるのはあなたの意識ではなく、「内なる存在」である。「内なる存在」がその繊細な仕事をこなせることを、あなたは信じればいいのだ。意識的な立場からあなた

にできるのは、エネルギーの同調を願う明確な意図ないし願望を示すこと。そして、同調を許容・可能にする姿勢を保つことだ。

エネルギーの同調は持続するプロセスであり、あなたが身体という装置の内部にとどまっている限り、完璧な同調に至ることはない。

あなたがたの言葉で、あなたが死んだとき、あるいは物質領域から撤退したとき、わたしたちの言い方で言えば、見えない次元に再突入したとき、初めてあなたは見えない世界のエネルギーと完全に混じり合う。しかし、見えない次元のエネルギーとほどほどに混じり合い、地上での経験を高めるのはそれほど難しいことではない。

4　内なる世界との対話

対話の作法

自分で意図もしないのに、身体を動かしたい衝動に駆られたら、エネルギーの同調が十分に進んでいる証拠と見なして差し支えない。もしあなたが欲すれば、「内なる存在」とより広い対話を始められる準備ができたということだ。身体を動かすこと自体、思考のなせる業なので、あなたはすでに対話のメッセージを受け取っているといっていい。しかし、望みさえすれば、あなたはゆくゆく内なる世界と対話する能力を大幅に進化させていくだろう。

毎日、15分から20分、物質的エネルギーと見えない世界のエネルギーの同調を許容・可能にする目的で座っていたとき、あなたの第一の目標は、意識的な心を完璧に鎮めることだった。しかし、動きを受け取った今、あなたのエネルギーはある程度の対話ができるところまで同調している。今やあなたには新しい目標がある。心を鎮める瞑想状態で座っていることにはもはや価値がない。

見えない友人との対話は、現実の友人との対話とさほど変わりはない。いい対話が成り立つには、同じような条件が必要なのだ。

あなたは広大な思考と知識の宝庫に触れているので、少なくとも自分が何について話したいのかのイメージを持つことが大切である。あなたは図書館に行って、フロントデスクに座っている図書館司書に、「本をお借りしたいんですが」とは言わないだろう。それと同じように、見えない次元と交流するときには、話題を絞る必要がある。

わたしたちと対話するようになった初期のころ、エスターはよく隣でジェリーが眠っている夜遅くに、わたしたちとの会話を求めたものだった。

「エイブラハム、話してちょうだい」

「何について話したいんだい」

「あら、わからないわ。あなたが選んで」

「エスター、おやすみ」

経験を引き寄せるのはあなただ。求められてもいない情報を提供しても、ほとんど価値がないことをわたしたちは学んだ。あなたは、自分から求めるときにのみ、提供されるものに心を開くからだ。

見えない世界の存在と何について話したいのかをじっくりと考えてから質問をぶつけ、それについての情報を受け取るという明確な意図を持って、聞いてもらいたい。自分が何を理解したがっているか明瞭であればあるほど、明瞭な回答が得られるだろう。

対話に備えて心を鎮める必要があるが、実際に対話を始めるときには、全神経を研ぎ澄まさなければならない。

対話は言葉のやり取りを通してのみ起こると多くの人は信じているが、実際には言葉を介した対話はこの宇宙で起こるコミュニケーションのごく一部をなしているにすぎない。あなたがいる物質世界においてさえ、言葉より思考の伝達を通して行われるコミュニケーションのほうが圧倒的に多い。内なる世界からの情報を受け取るには、耳ではなく心で聞かなければならない。新しいことに挑戦する場合はほとんどそうだが、それに慣れるにはある程度の訓練が必要となる。

見えない次元にいるわたしたちは、言葉やラベルを使っては語りかけない。あなたがたの言葉は使わず、全存在が理解する純粋で普遍的な思考のかたまりを用いる。

人間は往々にして、明確なコミュニケーションには言葉や言語が欠かせないと勘違いする。まだ言葉を話せない幼子は、あなたから明瞭な思考のかたまりを受け取っている。彼らは、あなたが伝えたいことの詳細はわからないかもしれないが、あなたの人生で何が起こっているかという基本的なことを理解している。あなたと相互作用している間、刻一刻とあなたの状態を感じ取っているのだ。あなたが飼っている動物たちも、言葉を話さないが、やはりあなたの思考を受け取っている。多くの場合、あなたは飼っている動物たちと思考のやり取りをしているのだ

「内なる存在」に質問を投げかけると、純粋な思考のかたまりを返してよこすだろう。あなたはそれを無意識のレベルで受け取り、自分にとって意味のあるものに翻訳する。それは一つの知識の形をとるかもしれないし、衝動や言葉の流れとして現れるかもしれない。

「内なる存在」との対話を発展させるためには、わたしたちが提供する思考のかたまりを解読し、地上の言語に翻訳することに慣れる必要がある。

エスターとの初期の交流でわたしたちが彼女に提供したのは、きわめて小さな思考のかたまりだった。その多くは一つか二つの言葉からなる文章に翻訳することができた。「イエス」や「ノー」といった言葉だ。

エスターの伴侶のジェリーは、自分にとって重大な意味を持つ質問をよくしたものだった。それに対して、わたしたちはきわめて短い情報のかたまりをもって応じた。そのうちに、エスターがわたしたちからより多くの情報を受け取るようになると、ますます大きな思考のかたまりを翻訳できるようになった。そして今では、翻訳するの

に7分もかかる思考のかたまりを、瞬時のうちにエスターに送ることが頻繁になっている。

「内なる存在」との意図的な対話の初期段階では、奇妙な身体の動きとか、一つないし二つの言葉からなる文章など、幼稚なコミュニケーションしかできないかもしれない。しかし、情報を受け取ることに慣れるにつれ、もっとうまくコミュニケーションがとれるようになるだろう。

「内なる存在」との対話を目的として座るときには、快適な姿勢をとり、堅固な意図を持ってもらいたい。普通、エスターは1分ほど座り、深呼吸をする。それからはっきりと述べる。「あなたの言葉をはっきりとしゃべりたいの」と。それは、「あなたの思考を伺い、わたしの心を通してそれが翻訳されるのを許す」という彼女の言い方なのだ。そのようにしてエスターは、自分の意識的思考がエイブラハムから受け取る思考を邪魔しないよう自らに言い聞かせているのだ。自分自身の思考プロセスによって意識的な干渉をしないというのが、彼女の最初の最も強い意図なのだ。

「内なる存在」の声か、自分の声か？

「内なる存在」からのメッセージを受け取り始めると、自分自身の意識的思考と「内なる存在」の思考を区別することに困難を覚えるかもしれない。しかし、やがてその違いがはっきりしてくるだろう。

「内なる存在」からやってくる思考が確実で安定しており、ほとんど律動的であるのに対し、あなた自身の意識的思考がしばしば散発的で、途切れがちであることにすぐ気づくだろう。「内なる存在」は一つの話題にじっくりととどまっていられるが、意識的な思考は話題から話題へと性急に渡り歩く。

もしあなたが「内なる存在」からメッセージを受け取ることを強く望むにもかかわらず、自分自身の意識的思考がそれを邪魔したり、覆《くつがえ》したりするのを許していれば、メッセージを受け取っても非常に不快な気分になるだろう。疑いや動揺を覚えたり、いら立ちに満たされるかもしれない。それは不満の残る経験になるだろう。だが、鮮明な意図を持って、「内なる存在」からのメッセージを素直に受け取っていれば、思考の流れや言葉の翻訳が確実に進み、より満足のいく体験になるだろう。最終的に「内なる存在」からの思考の流れが、あなたの心に否定しようもなく確実にそのまま入ってくるだろう。

見えない世界との交流の素晴らしさ

物質世界と見えない世界との通路を開くことは、あなたにとって大きな価値を持つ。なぜなら、あなたがなすすべてのことにおいて、より広い視野や確かな指針をもたらしてくれるからだ。

あなたは物質世界に焦点を合わせて生きているが、あなたのなかの見えない次元も偉大な価値を持っていることに気づくことが重要である。いずれか一方を認めることが、もう一方の価値をおとしめるようなことはあり得ない。

この地上での人生経験はあなたが継続しているということであり、以前に起こったさまざまな出来事が現在の素晴らしいあなたの立場を作っていることを認識すれば、「内なる存在」とのつながりを取り戻すことを、あなたは希求するようになるだろう。つながりを取り戻すことで、物質的な目を通してあなたが経験するすべてのことが、高められるからだ。

物質領域と見えない世界の領域との相互作用に影響を及ぼすたくさんの誤解がある。物質的人間は、なんらかの報酬を受ける価値があることを証明するために、この世に誕生したと代々信じてきた。そして、見えない世界の存在こそ価値があり、完璧で非の打ちどころがなく、自分たちのお手本だと考える。ときに見えない次元と接触することがあると、かしこまって座り、高みから偉大な知恵の言葉を授けられるのを待つ。

物質的人間は往々にして、見えない次元に属するすべての存在が、物質領域に焦点を当てている存在より年をとっていて賢いと誤って信じる。だが、決してそうではない。見えない世界の領域に属する存在は、実にバラエティに富んだ意図、願望、信念、期待、能力、態度を持っているのだ。

見えない世界に存在するわたしたちによって蓄積され、共有されてきた知識は膨大にあるが、物質的な目で見るあなたがたはそのほとんどを理解できないし、活用することもできない。だが、物質世界を通して解釈できるより広い知識を求めながら生きていると、素晴らしい知識の混合が起こる。

言葉は教えない。知識がやってくるのは、人生経験を通してである。だが物質世界のなかで生きていると、「内なる存在」が、人生経験を高め、豊かにしてくれる偉大な洞察や導きをもたらしてくれることがあり得る。

物質エネルギーと見えない世界のエネルギーの同調は、物質的次元と見えない次元との通路を開き、対話を可能にするだけでは決して終わらない。崇高なナビゲーションシステムを自覚するのを助けてくれるのだ。対話も素晴らしいが、物質世界と見えない世界をつなぐ通路は、はるかに多くのことを提供してくれる。

このエネルギーの同調ないし混合は、あなたが物質世界の一員になると決心したときに抱いていたビジョンを文字どおり実現可能にしてくれる。あなたは身体に宿ったときに思い描いていた道に最終的に乗る。

あなたはこう言ったのだ。「わたしはこの素晴らしい物質的次元に入り込み、この時間と空間のデータに親しむつもりだ。そのあと、わたしという存在の広さが、『すべてであるもの』を元気づけるために、輝きを放つのを許容・可能にしよう」

5　ナビゲーションシステムを効果的に活用する

感情は「内なる存在」のメッセージ

「内なる存在」は過去の体験から洞察を得る助けになる情報を提供してくれるかもしれない。だが、今を手放しで受け入れさえすれば、最も貴重なメッセージが日々もたらされる。過去を評価しても、それほど力にはならないし、喜びもない。だが現在、あなたが明晰に考えていることや、意図的に引き寄せていることは、あなたを元気づけ、喜ばせる大きな可能性を秘めている。

わたしたちが、物質的エネルギーと見えない世界のエネルギーとを同調させるプロセスを提示してきた理由はたくさんある。

・そうした同調は物質的次元と見えない次元、双方での経験を高める

・あなたが身体に宿ったときに抱いていた目的を意図的に達成するのを助ける
・より広い視点を持った「内なる存在」と意識的に対話することを可能にする
・エネルギーの同調や「内なる存在」の意識的な気づきは、物質的次元と見えない次元との間に対話の回路を開くだけではない。あなたはいつどんなときでも、自分を助けてくれる正確なナビゲーションシステムにアクセスできるようになるのだ。あなたが考えるすべてのアイデア、あなたが行うすべての決定が、このより広い気づきによって高められる

再三述べているように、「内なる存在」は物質的な存在に思考のかたまりを提供することができる。それをあなたはさまざまな方法で翻訳することになるだろう。動きたいという衝動や話したいという衝動に翻訳される場合もあるだろうし、身体に特定の感覚を覚えるという形で翻訳される場合もあるだろう。

「内なる存在」は、あなたが身体に宿った日から、そうしたメッセージを送り続けてきたのだが、ほとんどの人はそれに気づかない。あなたが感じるすべての感情は、文字どおり、「内なる存在」から送られてくるメッセージなのだ。「内なる存在」は身体のあらゆるエネルギーセンターにアクセスできるので、さまざまな身体感覚を生み出す力を持っている。

鋭利な物体や熱い物体から指を守るために、指先に「感じる」センサーがあるように、「内なる存在」はしばしば、あなたを導くためにあなたの内部に感覚や感情を呼び起こす。指先の不快な痛みは、それ以上の害を避けるための行動を起こしたいという衝動を生み出すが、それと同じように、ネガティブな感情は「自分にとって価値のないものから手を引きなさい」とあなたに勧告する役割を果たす。

感情は2種類しかない

わたしたちは感情を細かく定義する地点にたどり着いた。しかし、厳密に言うなら、感情は2種類しか存在しない。気分をよくしてくれる感情と、気分を悪くする感情だ。そうした感情は、身体的な反応を引き起こす思考を「内なる存在」が提示することによって生み出される。

「内なる存在」を認め、それが持っている無限の知識、力、明晰さの宝庫を頼りにすれば、あなたの人生経験は劇的に高められるだろう。あなたは今、物質世界が見えない世界と出会う、最も強力な交差点に立っている。あなたの意図的な思考や期待の組み合わせが、内部からやってくる感情、明晰さ、力と合体すれば、壮大な楽しい意図的創造が実現する。

あなたは人生経験を通して多くのデータを集め、いろいろな結論を引き出す。どんな生き方をし、どんな物を身の回りに配したいかを決定するのだ。その間、「内なる存在」はあなたを見守り、あなたが望みの方向に向かうのを助けるために、常に待機している。「内なる存在」はどんなに洗練されたコンピュータよりも効果的な方法で、正確にあなたの願望のすべてを評価し、その優先順位を決めることができる。どんな目標が優勢で、何をほかのものより優先させるべきかを知っているのだ。さらに、物質世界での経験を考慮するだけではなく、あなたが身体に宿ったときに持っていた目標を覚えていて、それをナビゲーションシステムのなかに組み入れる。つまり、「内なる存在」は身体のなかにいるあなたをいつでも意識しており、あなたが望みの方向に向かっているかどうかを確認できるよう、感情を呼び覚ますという形で、あなたをナビゲートしているのだ。とはいっても、あなたが「内なる存在」を自覚し、精妙な導きに耳を貸さなければ（というより感じなければ）、「内なる存在」が持つ知識や広い視野を活用することはできない。以下に続く章で、意図的創造のプロセスを詳しく論じ、「内なる存在」のナビゲーションシステムを活用するテクニックを紹介しよう。

最初のステップは質問を投げかけること。そうすれば、回答が得られる。すると、もっと広くて深い新たな疑問が生じる。例を挙げよう。地球について知れば知るほど、自分がまだ理解していないことに気づくようになる。宇宙の広大さや地球の複雑さがわかってくると、理解していない知識の量が減るどころか、増えていくのだ。地球を征服した、発見したと信じているのは、考えることをやめてしまった者や、新しいアイデアを受け付けない者だけである。

プロセスを理解する必要はない

人間は物質世界に属しているものを発見、発明、理解することに関しては、驚くべき能力を発揮する。しかし、物質的な視点から、世界の内的な働きを把握することはできない。

家庭で使う電気のことを考えてみよう。電気の恩恵にあずかるのに、電気エネルギーがどのようなプロセスを経て各家庭に配電されるかを余すところなく理解する必要はない。それと同じように、物質世界での経験を高めるために、物質を寄せ集めて地球が作られた驚くべき複雑なプロセスを理解する必要はない。ただ、内なる世界の存在を認め、受け入れればいいのだ。

今日、これほどまでに便利な電気の恩恵を受けずに暮らす人がいるとしたら、その理由を理解するのに苦しむだろう。あなたがたのなかに存在する明晰さ、知識、力の広大な宝庫を活用しようとしない人たちに対し、わたしたちは同様な感想を抱かずにいられない。電気のもたらす恩恵は、電気がどこから生じ、どのように活用されるかを説明することによっては語り尽くせない。同様に、見えない世界のエネルギーがいかに人生に豊かな潤いをもたらすかを、あなたがたが理解できる言葉で説明し尽くすことはできない。

あなたが住む地上での経験を高めるために、見えない世界との交流を促し、内的資源を活用するのを助けるのがわたしたちの狙いだ。

いったん、「内なる存在」を受け入れ、自分が終わりのない成長の途上にあることを受け入れれば、自分の内部に、知識、明晰さ、力を擁する驚くべき宝庫が眠っていることを認識できるようになるだろう。そのことを認識すれば、あらゆる分野で著しい進歩を遂げることが可能となる。なぜなら、自分が既に力や明晰さを持っていることを知れば、それらを育むためにがんばる必要がなくなり、それらが前面に出てくるのを許容・可能にするだけでいいからだ。

自分が持ちたいと思っている才能や能力の多くを、あなたは既に持っている。それが表面に出てくるのを許容・可能にすればいいのだ。あなたは今、自分の才能を磨いている最中だと思っているかもしれない。あるいは、物質世界に誕生したあとに、育んできたと考えているかもしれない。しかし、実際はそうではない。才能は生まれる前から存在していたのである。今、そうした才能を味わいたければ、それらが表面に出てくるのを許容・可能にすればいいのだ。そうすれば、必ず前面に出てくるだろう。

あなたはこの地上で素晴らしい幸せな実りある人生を送りたいと思っているだろう。そのために全世界の人たちが、「宇宙の法則」や、わたしたちが本書で述べているプロセスを理解する必要がないことをわかってもらいたい。お互いに理解し合う必要もない。あなたの経験を引き寄せるのは、あなた以外にいないのだから。

6　あなたのなかのナビゲーションシステムを信頼しよう

なぜ人はネガティブなのか

すべては簡単そうに聞こえる。それなのに、秘められた内なる可能性に気づく人はまずいない。なぜだろう？　素晴らしい内なる可能性が輝き出すのを阻止しているのは大抵、自己評価の欠如である。自己評価の欠如は、ほとんどの人にとって、願望の成就を妨げている元凶でもある。わたしたちの物質世界の友人も、自己評価ができないために前に進めず、いら立たしい状況に閉じ込められているケースが多い。

一般的に今日の人間は、望んでいるものではなく、望んでいないものを得て暮らしている。自分の手元にやってくるものを、自分がどのようにして引き寄せているのかわからないのだ。そのため、自分の身に何か悪いことが起こると、その理由を自分自身の外側に探し、社会の仕組みを責めたり、他人に責任を転嫁したりする。しかし、外部の標的を責めれば責めるほど、自分自身の人生をコントロールする力を失い、いら立ちを募らせるようになる。そして、ネガティブな感情にはまりこみ、自分が嫌だと思っているものをもっと引き寄せるようになる。

ほとんどの人はネガティブな感情を引きずりながら暮らしている。そのため、否定的な経験を引き寄せやすい。

もちろん多くの例外があるし、その気になりさえすれば、簡単に前向きに生きられるようになる。話を先に進める前にまず、そのことを指摘しておきたい。けれども現在、地上で暮らしている人間が、主として否定的な状態で生きていることは動かしがたい事実である。

どうして人間はそのような状態に行き着いたのだろう？　最大の原因は自己評価の欠如にある。

すべての物質的存在は、意識してはいないが、成長には終わりがないことを心の奥底で感づいている。そうでなければ、今、この地上に存在などしていないだろう。内側から絶えず突き上げてくるものがあり、新しい経験や成長へとあなたを駆り立てているのだ。いいことをしたいという渇望や衝動もある。ところが人間は、善悪や正邪、肯定的なことと否定的なことを見分ける方法を忘れてしまっている。

自分自身のなかにナビゲーションシステムがあることを忘れてしまった人間は、自分の外に、案内板やルールブック、そのほか、善悪を教えてくれるものを探し求める（「それが正しいと信じている人がたくさんいれば、きっと正しいに違いない」と思うのだ）。ところが、相矛盾する多様な目標や信念に出合うため、混乱をきたしてしまう。

善悪を見分ける手段を探していると、人間は比較する者にならざるを得ない。実際、人間は比較の世界に生まれてくる。この世に誕生したときから、大きさ、髪の量、俊敏さ、美しさ、いろいろな能力などを他人と比べられる。しかし、物事によってはさまざまな見方が可能で、比較を通して、何が正しく、何が間違っているかを簡単に判断できない場合もある。そのようなとき、比較は混乱を生み出すだけにすぎない。

人間は幼いとき、周囲の人たちが考え方や態度を自分に押しつけたがることを発見する。周囲の人たちの意見を求めるのは、決して悪いことではない。新しい考え方を身につける機会になるし、新しいアイデアを思いつく刺激にもなるからだ。自分が成長するためのきっかけにもなる。だが、自分の内側に信頼できるナビゲーションシステムがあるという強い感覚を持っていないと、他人の意見や態度にどうしても左右されやすい。特に、堅固な善悪の観念を持っている人たちと交流する場合、意見の違いに苦しめられ、混乱をきたすおそれがある。

自分自身のなかに導いてくれるものがあることに気づかず、他人の意見にばかり頼っていると、そのうちに承認を求める人間になる。実際、人間は自分自身の意志や欲求から行動するのではなく、他人を喜ばせる考え、言葉、行動を選ぶことが非常に多い。そうしたことがごく狭い範囲で、例えば直接の家族や親に対してだけ行われるのであれば、気持ちよく承認を求めることができるかもしれない。だが、交際の範囲が広がり、家族以外の人間にまで拡大すると、混乱が生じる。

承認を求める相手がたった一人であれば、相手のころころ変わる要求にも、比較的簡単に対応できるかもしれない。しかし、それが二人以上になり、全員がそれぞれ自分のように考え、話し、行動するよう求めたら、あなたは大きな困難を抱えることになるだろう。行動基準がまちまちで、正義や善悪を見分ける手段が多様だからだ。きっとあなたは意見の違う批評家たちに監視されている気分になるだろう。

個人が経験する困難の多くは、自分を好きになれない——評価できない、信頼できない——ことから生じる。自分を信じられない人間は他人に承認を求める。それ自体が、自分を信じたいという本人の望みに反する働きをする。彼は自分自身を信じられないために、他人に承認を求め、そのことが自己信頼の欠如を永続化させるのだ。身近に、自分自身を認め、評価している見本となる人物がいる場合のみ、人は鼓舞されて自分を評価できるようになる。不幸なことに、そのような見本になる人間は周囲にほとんどいない。自分自身を本当に評価している人間は次のような特徴を持っている。だいたい、幸せである。偽善的な笑顔を作らず、温かい本物の笑顔を見せ、目だけではなく、口元もほころぶ。あなたが自分のなかに見たいと思っていたものを、あなたのなかに見いだし、あなたを評価する。そしておそらく、あなたがまだ気づいていないあなたの一面を指摘する。

ナビゲーションシステムは信頼できる基準

本書の最大の狙いは、人間が自分のなかにナビゲーションシステムがあることを認識する手助けとなることである。自分のなかのナビゲーションシステムを活用できるようになるには、まずそれがあることを認識しなければならない。その前に、認識することを欲しなければならない。

ナビゲーションシステムを欲し、認識し、活用することが、自己評価に至る最も確実で迅速な道である。自己評価は楽しい人生を送るのに欠かせないものなのだ。

人間はこの世に生まれてくると、自分を取り巻く信念や影響力にひたされる。自分のなかに、力、知識、指針の宝庫が存在していることに気づくまで、周囲の影響力にほとんど抵抗できない。

物質世界に誕生すると、あなたは通常、家族や文化の一員となり、すぐに周りの人たちの信念や意図や混乱にさらされる。

もちろん、周囲の人が支えてくれるのには、それなりの理由がある。彼らはあなたの誕生を待ち焦がれ、あなたにいろいろなことを教え、感化するのを楽しみにしているのだ。というのも、あなたは小さなうち、最も基本的な欲求すら自分では満たせないからだ。しかし、見えない次元の立場から言うと、あなたは人生を歩み始めたばかりの赤ん坊ではない。経験を積んだ、知識も欲求もある年とった存在なのだ。

もちろん、周囲の人たちはそのようには見ない。あなたは地上での生き方に関し、何も知らずに無力なので、あらゆることに関して無知だと見なされる。そのため、彼らが受け継いできた行動基準に従うよう求められる。あなたをめぐる思考――あなたは新米で、何も知らないという思考――は、多くの人がそのとおりだと思っているものなので、あなたはそれを受け入れるのだ。

あなたは内なる視点から新しい経験や成長を求め、身体に宿った。成長したいというあなたの自然な衝動と、あなたに知っていることを教えたいという周囲の人たちの願望が合体して、あなたは生徒の役割を引き受け、ほぼすべての人たちを年とった賢い人間と見なしているのだ。

あなたは自分自身のことを無知な人間と見なし、さまざまな疑問に対する答えを、自分の外側に探し求める。その結果、確かに物質世界で物事がどのように働くかについての情報は得られる。だが、自分自身の外側に回答を求めるという習慣により、成長するにつれ、自分が自分の経験の創造者であるという内なる知識からどんどん遠ざかっていく。

「内なる存在」を受け入れる

ほとんどの人間は自分への評価を二度と取り戻すことはない。ごく一部の人間が年とってから気づく。「周囲のほとんどの人間はかつて思っていたほど賢くはないな」と。しかし、そのころには大体疲れすぎていて、自己評価の探求を開始するだけの気力がない。

自己を評価することは決して難しいことではない。そのことをぜひわかってもらいたい。あなたはただ、自己を評価する方法を一次的に忘れているだけなのだから。

あなたのなかには、あなたを敬愛してやまない「内なる存在」がいる。そのことを肝に銘じてもらいたい。「内なる存在」は、あなたがこれまで経験してきたこと、そして今、経験していることすべてを知っている老賢者である。

物質的なあなたを見守る「内なる存在」は、あなたのすべてに深い感謝の念を抱いている。あなたの願望や期待、そのほかすべてのことをわかっており、片時もあなたから目を離すことがない。

あなたが喜ばしいことに注意を向けると、肯定的なエネルギーが全身を貫いて流れるのを感じる。それは、輝かしい「内なる存在」とつながっているという感覚だ。あなたが美しい周囲の環境や溌剌《はつらつ》とした野生動物を見て感動したり、自分がやり遂げたことや自分の夢に感激したりすると、「内なる存在」が素直にあなたと共鳴し、あなたは素晴らしい気分になる。

一方、自分の欲する何かが欠けていることに心を奪われたり、自分自身やほかの誰かの欠点を見いだしたりすると、否定的なエネルギーが全身を貫いて流れるのを感じる。それは「内なる存在」とのつながりが断絶しているという感覚である。「内なる存在」とのつながりを断たれると、あなたはこの物質世界に一人、裸で立つことになる。あなたが感じる不安、恐れ、孤独感は、その瞬間、本当の自分からそれてしまっていることを示す指標にほかならない。

「内なる存在」が、これまで生きてきたすべてのことの頂点にいて、常にあなたのことを自覚し、敬っていることを受け入れれば、自己評価に向かって大きな一歩を踏み出すことになる。

「内なる存在」を感じるエクササイズ

もしたった今読んだことを実際に感じてみたければ、少しの間、静かに座り、次のようなことを試してみてもらいたい。まず、自分にとって楽しい話題を選ぼう。あなたが敬う誰かのことを考えるか、その人との楽しいやり取りを思い浮かべるのだ。そうでなければ、あなたが経験してみたいことを思い浮かべ、実際に心のなかでそれを経験してみてもらいたい。あるいは最近やった楽しいことを思い浮かべてもいいだろう。楽しいことを考えると、「内なる存在」があなたの思考に共鳴し、身体のなかに肯定的なエネルギーがわいてくるので、それを感じてもらいたい。次に、楽しくない話題を選んでみよう。十分なお金がなく、請求書が送りつけられてきても払えない状況を思い浮かべるのだ。あるいは自分を不当に扱った人物を思い浮かべ、自分自身の立場の正当性を主張し、その敵に対して自分を弁護してみよう。自分自身の欠点を思い浮かべ、しばらくの間、自分自身をいじめるのもいいだろう。そうすれば、「内なる存在」とのつながりが断たれるはずだ。その感覚を感じてもらいたい。本当の自分からそれてしまっているという感覚。「内なる存在」が歓迎しない話題を選ぶのがどんな感じかを味わうのだ。肯定的な「内なる存在」とのつながりを断たれ、物質世界に一人で立つことがどんな感じかを味わってほしいのだ。

誰かがわたしたちに言った。「エイブラハム、わたしが最も必要とするときに、どうして『内なる存在』はわたしのことを見捨てるのだろう？　どうしてわたしに背を向けるのだろう？」

それに対してわたしたちはこう言った。「『内なる存在』はあなたから目をそらすことは決してない。ただ、あなたが、『内なる存在』とのつながりをいつも許容・可能にしているとは限らないのだ」気分がいいとき、あなたは「内なる存在」とのつながりを許容・可能にする場所にいるが、気分が悪いときはそうではない。

今生でやりたいことを成し遂げ、満足を得るのに欠かせない最も重要な仕事は、本物の自己感覚を見いだすことである。

7 自由、成長、喜び

あなたは人生経験のシェフ

現在、地球上にいるすべての物質的存在は、次のようなことを求めて地上に降り立った。成長——成長を望まなければ、あなたはここにはいないだろう。自分や他者を元気づける喜び。そして自由——終わることのない個人の自由が常にあるから、すべてが可能になる。人間はすべて、以上の欲求を共通して持っているが、その欲求の強さは大幅に異なっている。ある者は情熱的に激しくそれらを求めるが、あまり強く欲求を感じない者も他方にいる。

あなたは強く望んで身体に宿り、この地球という環境のなかに生まれた。この物質的次元に入り込む決心をしたとき、この地球が、さまざまな経験、信念、願望が渦巻く著しく多様性に富んだ場所だということをあなたは知っていた。あなたは地球を意図的な創造に最適な場所と見なしたのだ。

あなたは、想像し得るあらゆる食材が豊富に備えられたレストランのシェフのようなもの。地球は食材に満たされたそのレストランだ。完璧な人生経験を作るために調理する素材を棚から選ぶのはあなただ。

この先わたしたちは、あなたの宇宙のあらゆる側面(あなたが現在、焦点を当てている物質領域を含む)に影響を及ぼす、永遠無窮の普遍的な「宇宙の法則」を紹介していくつもりだ。それらの「宇宙の法則」を詳しく述べ、あなたの人生にどのような影響を及ぼしているかを説明してあげよう。あなたは、たとえ知らなくても、そうした法則が存在し、自分に影響を与えていることを理解するようになるだろう。

わたしたちはこの部分を書くことにとても幸せを感じている。この部分を読めば、自分が創造したいと思うものを、どうすれば創造できるかを正確に知ることができるからだ。自分が望んでいるのに、どうして実現できないことがあるのか、あなたの経験のなかにどうして自分が望んでいないものが混じっているのかも理解できるだろう。わたしたちの望みは、あなたが自分自身の人生を完全にコントロールするのを助けること。と同時に、自分で自分の人生を作っていくことこそ、あなたがここにいる理由であることを理解してもらいたいのだ。本書を読み進んでいけば、意図的に自分の人生を創造する鍵にアクセスできるようになるだろう。

なぜ、わたしたちは生まれたか？

おそらく、人間が最も頻繁に投げかける疑問はこうだ。「なぜわたしはここにいるのか？」

わたしたちは次のようなシンプルな言葉でそれに答える。「あなたの一部だけがここにいる。現在、物質的次元や身体に焦点を合わせているあなたの部分は、楽しいからそうしているのだ。より多くのことをし、より多くのものを持ち、よりよく生きるために」

あなたも知っているとおり、成長には終わりがない。経験の蓄積にも終わりはない。それらの経験が積み重なって、そのときどきの自分を作り上げている。したがって、あらゆる人生経験が、見えない次元にも存在する、それまでの人生の総決算である広大なあなたに、新しい要素を付け加えるのだ。

・あなたがこの世に生まれてきたのは、偉大なものになる価値があることを証明するためだけではない

・あなたはテストされるためにここにいるのではない。厳しい競争の世の中で、

昇進できるだけの強さや勇気や意地があるかを試されるためにここにいるのではない

・自分が無知な生徒としてこの世に誕生し、道を示してくれる、知恵のある教師を探し求めていると考えるのは間違っている

・あなたはハシゴを登って大きな報酬を得るために生まれてきたのではない

・あなたは誘惑の試練のためにここにいるのではない

あなたは人生経験によって元気づけられる永遠の創造者である。

あなたは永遠無窮の法則を適用してきたために、現在の身体に宿り、この時間と空間に出現した。

つまり、楽しい地上での経験を探すために、この時間と空間に出現したのだ。また、具体的な経験を積むことで自分の理解が深まり、楽しみが増すのを知っているから、この世に誕生したのだ。

人生経験を引き寄せるのはあなた

あなたは強力な「宇宙の法則」のおかげですべての物を受け取る。お金を豊富に持っ

ているか、それとも不足しているか、健康かそれとも病気がちか、満足のいく充実した人間関係を持っているか、それとも不満だらけの困難な人間関係を持っているかといったことは、あなたが個人として「宇宙の法則」をどう適用するかによって決定される。あなたは物質的経験の創造者なので、必ずなんらかの形で法則を適用している。

実際、人生経験の大まかな流れだけではなく、事細かな部分もすべて、あなたが引き寄せている。わかりやすくいうと、あなたは自分の経験の絶対的な創造者なのだ。

あなたに訪れる豊かさや貧困や病気、健康は、あなたがしたことに対する報酬や罰として、他人によってもたらされるものではない。あなたのスキル、機敏さ、価値を試すために、人生の経験が割り当てられるのでもない。あなたの行動によって、祝福したり、祝福するのを控えたりする、見えない知性など存在しない。

あなたは、自分が考えることと、それに引きずられて生じる感情ゆえに、得るべきものを得ている。それらの思考の信号——それは、あなたが電気として活用してきた電流と同じような目に見えないエネルギー——によって運ばれる——は磁力を持っている。強力な磁力によって、あなたは自分の人生経験に等しい環境や出来事を自分のほうに引き寄せる。

ここまで読んできたあなたは、自分が経験するすべてのものを創造しているのは自分以外にない、という考えに不安を覚えるかもしれない。なぜなら、あなたの人生には、あってほしくないものがあるからだ。また、あなたが経験したいことで、そう簡単には経験できないように思えるものもある。いかにすれば意図的な経験の創造者になれるかわかっていないから、そのようなことが起こるのだ。あなたの周囲にも、それをわかっている人はおそらくいないだろう。

行動は創造しない

これからのページで、意図的創造のプロセスを具体的に描いていこう。出発点は、あなたが自分の経験の創造者だということ。ところが、ほとんどの場合、どうやって自分が創造しているのかわからない。実際に、あなたは自分が望んでいないものまでも創造する。それをわたしたちは、「惰性による創造」とよぶ。意図的であろうがなかろうが、故意であろうが偶然であろうが、明確な目的を持っていようが、やみくもであろうが、いずれにせよ、あなたは人生で経験するあらゆるものを引き寄せ、創造しているのである。

物質的存在はいくつかの非常に大きな誤解の下で機能している。一つは、行動することを通して、得るべきものを得ているという誤解。行動が物事を引き起こすと多くの人は信じているが、それは正しくない。事実、ほとんどの人は、山火事を消すことに行動の大半を費やしている。物事を生み出すのは行動ではなく、あなたが抱く思考や言葉に触発された感情である。大半の行動は、感情を通して引き寄せられる不測の事態に対処するために費やされる。例えば、大病院の待合室を覗《のぞ》いてみるといい。以前に抱いた不適切な思考が招いた事態を取り繕うために行動している人たちであふれかえっているから。

あなたの持ち物や環境、人間関係、そのほか、あなたの人生経験に含まれるすべての要素は、あなたの行動の力によってではなく、あなたが抱く思考のバランスによってあなたのものとなる。思考があなたのなかに感情的な反応を引き起こし、その感情が、あなたの引き寄せるものの指標として働くのだ。

感情が引き寄せる

夏の真っ最中、わたしたちの友人エスターは、庭の芝生の上を歩いていて、草木が非常に乾燥していることに気づいた。彼女は立ち止まって、とても溌剌とした響きのある声で言った。「エイブラハム、雨が欲しいわ!」「雨が不足しているという立場から、雨の恵みが得られると思うのかな?」とわたしたちは答えた。「何が間違っているの?」とエスターが尋ねた。「なぜ雨が降ってほしいのだ?」とわたしたちは尋ねた。

「草を生き生きとさせ、木々を元気づけたいの。森のすべての動物に水をふんだんに与え、小鳥用の水盤に頼らなくても済むようにしたいの。雨が降れば、大気の温度が下がり、肌に心地よく感じるでしょう。そうすればみんながいい気分になる。だから、雨が降ってほしいの」「今、あなたは雨を引き寄せているよ」とわたしたちは答えた。

普段、あなたがたはどんなとき健康について考えるだろう？　どんなとき具合が悪くなるだろう？　どんなときもっとお金が欲しいと考えるだろう？　どんなとき何かが欠けていると思うだろう？　どんなとき伴侶を見つけたいと思うだろう？　どんなとき孤独を感じるだろう？　「健康」「お金」「恋人」などが「欠落」していることに注目し、それらのものを欲すると、願いがかなえられるどころか、自分の欲するものが「欠落した状態」をさらに引き寄せることになる。

一番言いたいのはこういうことだ。あなたはある感情を抱き、同時にそれとは異なることを考えたり、話したりすれば、それを受け取るのを期待することはできない。どう感じるかが、あなたの引き寄せるものを左右するからだ。にこやかに笑いながら、幸せな言葉を使えば、それは実際にあなたが感じていることなので、強力な引き寄せの作用点となる。だが、太っていると感じているのに、やせた状態を引き寄せることはできない！　貧乏だと感じているのに、裕福さを引き寄せることはできない！　孤独だと感じているのに、伴侶を引き寄せることはできない！　それは法則に背くのだ！

その法則とはなんだろう？　「引き寄せの法則」である。自身と似たものを引き寄せるという法則だ。

自分の欲しいものを引き寄せるために必要なのは、感じ方を変えるということ。あなたは欲しいものや、自分でいいと思っているものを引き寄せられるようになる前に、自分自身を心地よい状態にもっていかなければならない。

わたしたちはよくこんなふうに尋ねられる。「エイブラハム、あなたはエスターを通じて、別の言葉を話せますか？　イタリア語やフランス語やスペイン語を話せますか？」わたしたちはどこかの国の言語で話しているのではない、というのが答えだ。純粋な思考のエッセンスないし信号を語り――提示し――、エスターがその衝動を無意識レベルで翻訳しているのだ。わたしたちは、すべての物質的存在や見えない世界の存在と同じように、純粋な思考を提供する。それは動物の言語であり、物質的次元、見えない次元に存在するすべてのものの言語である。

あなたは宇宙に向かって、絶え間なくメッセージや純粋な意味を発信している。言葉や思考を通してではなく、感じ方を通して。もちろん、一瞬一瞬、あなたが感じることは、思考や言葉の選択の結果だ。しかし、宇宙に送られるあなたの真のメッセージは、あなたがどう感じているかということ、そう、感じていることが、引き寄せの作用点になるのだ。それが、自身に似たものを引き寄せるという法則である。

あなたは自分の経験の創造者であり、考えるものを手に入れる。わたしたちがそう言うと、多くの人は混乱する。言葉や思考を通して一つのメッセージを送ると考えるからだ。しかし、実際に送信しているのはまったく違うものなのである。エスターは雨乞いすれば雨を招き寄せられると考えた。だが、雨が不足していると感じていたため、状態を悪化させることにしかならなかった。欲するものを引き寄せるには、不足しているという感情(否定性の感情)から、既に持っているという感情(肯定性の感情)にどうしても切り替える必要がある。

ほとんどの人が自分の望む人生を生きていない第一の理由は、自分が話すことと感じることとが調和していないからだ。

宇宙は思考と感情が調和している場合にのみ反応する。よりわかりやすく説明してあげよう。自分が欲していない何か、たとえばガンについて考え、「不安」や「恐れ」といった否定的な感情を感じるとき、そこには調和があるので、ガンが経験に現れる。一方、自分が欲する何か、たとえば非の打ちどころのない健康について考え、「平和」や「喜び」といった肯定的な感情を感じれば、考えることと感じることが調和しているので、完璧な健康が招き寄せられるだろう。

ネガティブな感情を抱きながら、自分が望むものを考えても、波動が一致しない。

ネガティブな感情を覚えるとき、あなたは必ず、宇宙に影響を与えている。言い換えれば、自分が欲しないもの——自分が欲するものが欠如している状態——を返してほしいと文字どおり要求しているのだ。

以上のことから、自分がどう感じているかに敏感になることが大切であることがわかっただろう。そうでないと、自分が欲しないものを引き寄せていることに気づけない。気づくことができれば、それを引き寄せるのをやめることができる。そのことを理解すれば、次の段階に進む準備ができたことになる。

8 楽しみながら「なる」

転換のプロセス

ここでは、わたしたちが「転換のプロセス」とよんでいるものを説明してみよう。それは、否定的なものを引き寄せる自分から、肯定的なものを引き寄せる自分に変わるプロセスだ。

まず、ネガティブな感情を覚えるときには常に、あなたのナビゲーションシステムが内部からきわめて大切な二つのことを告げていると考えてもらいたい。第一に、あなたが欲しているものがあるということ！　そうでなかったら、なんの感情も覚えないだろう。第二に、あなたは自分が欲しているものを見ているのではなく、反対方向を見ているということだ。

そのことに気づいたら、自分にこう言ってもらいたい。「わたしは何か大切なものを求めているが、それを見ていない。わたしが求めているものはなんだろう?」そのあと、「わたしはなぜそれを求めているのだろう?」と自問してもらいたい。自分が何をなにゆえに求めているかをよく考えたら、既に望みを達成している自分を思い浮かべよう。自分のなかから肯定的な感情がわいてくるまで、既になりたいものになった自分、欲しいものを手にしている自分、やりたいことをしている自分を思い浮かべるのだ。

必要なのは慣れだ。やればやるほど、あなたは上達していくだろう。そして、素早く転換が起こるようになり、いい気分になって、自分が転換に成功したことがわかるようになるだろう。

自分がどう感じているかに敏感になれば、たった一日で、１００回から１０００回の転換の機会を見いだすようになるかもしれない。とはいっても、その都度異なった欲求に気づく、ということではない。何度も転換を繰り返しているうちに、いくつかの鍵となる欲求があることに気づくだろう。普通、最も高い優先順位を与えられているのは自由で、そのあとに、成長、喜び、元気といったものが続く。

転換は次のような働きをする。最も重要なのは、絶え間ない肯定的な感情の状態に導くということ。ということは、自分にとっていいと思えるものだけを引き寄せる状態に絶えずいられるようになることを意味する。また、自分がどう感じているかに敏感になると、ナビゲーションシステムがあなたにとって重要なものを内側から指摘するのを許すようになる。そのため、転換の機会に気づきやすくなる。つまり、あなたにとって大切なものがどんどん明らかになっていく。次に、転換をするたびに、あなたは自分が欲するものをより鮮明に自覚するようになり、どんどんそれに近づいていく。

なかには、「転換のプロセス」を誤解する人たちもいる。「明らかに間違っていることを見つけて、それを正しいとよびなさい」と言っているかのように錯覚するのだ。あるいは、「白いものを見て、それを黒とよべ」と言っているかのように思うのだ。わたしたちはそんなことを言っているのではない。

転換とは次のようなプロセスだ。

・自分にとって最も大切なものは何かを発見するきっかけになるプロセス
・欲するものだけを引き寄せる状態に絶えずいられるようになるプロセス
・人生のデータを処理し、絶えず移り変わる欲求の核を決めるプロセス
・自分が嫌だと思っているものを引き寄せていることを認識し、それをやめて肯定的なものを引き寄せる決断を意識的に行うプロセス
・思考や言葉や行動を変え、自分の感情的反応を変えるプロセス

・ネガティブな感情を自覚することによって、欲していないものや、欲しているものが欠落している状態に注意のエネルギーを向けていることを認識するプロセス
・自分が望んでいない方向に向けている裏切りのエネルギーをすべて回収し、望んでいる方向に向かわせるプロセス
・自分の創造の方向性、もっと具体的にいうなら、自分の引き寄せの方向を変えるプロセス
・自分の最も大切な目標とのバランスをとるプロセス

転換のプロセス——自分が何を望んでいるかを突き止めるチャンスをうかがうプロセス（あなたが現在ネガティブな感情に見舞われているのは、自分が欲しているものが欠落していることや、自分が欲していないものに焦点を当てているから）——は、あなたが身体に宿る以前に望んでいた実り多き楽しい人生を送るための鍵となる。

楽しみながら「なる」という概念

わたしたちは頻繁に次のような質問を受ける。「わたしはなぜここにいるのです

か?」多くの人間はなぜ自分が存在しているのかわかっていない。それに対しては、例えば、「あなたはあの世に行っても幸せでいられるかどうかを証明するためにここにいるのだ」とか、「あなたは偶然物質が寄り集まってできた存在にすぎない」といった多くの回答が寄せられてきたが、わたしたちの考えを述べてみよう。

あなたは創造者なのだ! 物質の寄せ集めでもないし、関係の寄せ集めでもない。他人の経験を鵜呑《うの》みにする者でもない! あなたは「宇宙の法則」を意図的に適用するために、この時、この場所、この次元に特別選ばれたのだ。つまり、この時期、創造の楽しみを享受するために、身体を持って地球上に存在することを望んだのは、ほかでもないあなたなのだ。

彫刻家やアーティストが、仕上がった作品ではなく、作品を作るという行為から満足を得るように、あなたも、この宇宙の物事を素材にして人生という作品を作る喜びを享受するために生まれてきた。

大抵の人間は、自分が自分自身の経験の絶対的な創造者であるという考えを持たない。彼らは指導的な立場にある人間の指示に従ってきた。けれども、思考や態度を通して自分の経験を左右できることに、ますます多くの人が気づき始めている。まだ少数とはいえ、なかには自分自身の経験を意図的にコントロールする方法を模索し始めている人たちもいる。わたしたちが努力を惜しまないのは、そういう人たちのためだ。

もしあなたがそういう人なら、本書はまさしくあなたのために書かれている。

人生を意図的に創造する決心をした人たちを見ていて、わたしたちは一つの共通点があることに気づいた。常により明るい未来を期待する傾向があるのだ。「あの仕事を手に入れたら、事態は好転するだろう」「本物の恋人を見つけたら、幸せになれるだろう」「余分な体重を減らせたら、幸せになれるだろう」など。あなたが幸せな未来を期待するのはうれしいことだが、依然として重要な点を見逃している。

あなたが人生のデータを処理するときに願うのは、一瞬一瞬、日々、自分自身を楽しい存在状態に導くことだ。「今」に立ったら、自分がどこに存在したいか、あるいはどこに向かいたいか自覚してもらいたい。あなたは自分の居場所がないことに注意を奪われる傾向がある。「今」を未来の成功と比較すると、「今、欠落しているもの」に気づき、苦しむのが普通だ。しかし、「今、欠落しているもの」があると感じている限り、あなたの「今」は変わらないままにとどまる。

「なる」という概念を理解してもらいたい。あなたは、さらなる幸せや成功に至る旅の途上にいるが、今も幸せだし、満たされている。創造の道を歩み続ける自由で楽しい成長する存在なのだ。

意図的な創造者であるあなたにとって、楽しみながら「なる」状態にいることを理解する以上に大切なことはない。

自分が磁石として、感じているものをなんでも引き寄せていること——つまり、ネガティブな感情を感じていれば、その瞬間、自分が欲していないものを引き寄せているということ——を理解すれば、楽しみながら「なる」ことの意味がわかるかもしれない。

どんなにあなたが何かを欲しがったとしても、そしてどんなにそれを手に入れられると信じたとしても、もし現在、それがまだ手元にないことに気づいていたとしたら、あなたは「欠落」に焦点を当てており、「欠落」した状態をさらに引き寄せているのだ。そのようにしてずっと「欠落」した状態を引き寄せ続けることになるだろう。

一方、自分が欲しいものの多くがまだ手に入っていないけれども、今、楽しみながら「なる」概念を理解し、それらが手に入ることを期待し、実際にそれらに向かう旅を楽しんでいるなら、あなたは楽しみながら「なる」状態にいて、望みのものを持っていない今と、それが手に入る未来との時間を短縮するばかりか、それまでの間、自分でも楽しめるだろう。そのときあなたは、優秀な彫刻家やアーティストと同じように、自分の人生の実践的な創造に、嬉々として打ち込んでいるのだ。

創造の99パーセントは物質的な形になる前に完成する

繰り返すが、今、あなたが地球上にいるのは、あなたが創造者で、情熱を持って豊かな人生を創出したいと思っているからにほかならない。楽しい創造とは、一つの的を選んでそれを射止めたら、また別の的を選ぶということではない。楽しい創造は、望みの人生を絶えず認識し、それを達成することに意図的に集中し続けることを指す。楽しい創造とは、人生経験から結論を引き出し、その結果に期待することだ。

もしあなたの現在がより楽しい経験の期待に満ちていれば、楽しくない経験や環境を引き寄せることはあり得ないだろう。けれども、より幸せな明日を期待し、さほど楽しくない現在を、より楽しい未来と比較し続けるなら、望みの未来ではなく、さほど楽しくない現在を引き寄せ続けることになるだろう。

あなたは経験の創造者として、今、感じていることをさらに引き寄せている。あなたが「今」に存在し、思考し、言葉を語り、行動するとき、同時に、それらに見合った感情に応えている。あなたの思考、言葉、行動の組み合わせと、それらに対応する感情が、あなたの引き寄せの力だ。これが、他人、経験、出来事、環境を自分の人生に招き寄せている。このようにして、一瞬一瞬、日々、あなたの人生経験が形作られているのだ。

あなたの創造の99パーセントは、物質的な形になる前に完成する。ところが、ほとんどの人は物的証拠を求めるので、物的証拠を見るまで自分が前進していることに気づかない。物的証拠がないことに気を奪われると、あなたは心配し、疑いを抱き、もだえ苦しみ、自分が欲しいものをさらに遠くへと押しやってしまう。

トマトの種を植える農民は、芽が出る前に、創造が行われていることを理解している。彼は新しく開墾された畑に行って種を踏みつけ、「すぐに芽を出せ」と要求したりはしない。自然の「宇宙の法則」が働き、小さな種が成長して実を結ぶのを許容・可能にするのだ。

あなたは素晴らしい創造の種をたくさんまいてきたが、気が短いために、あるいは法則を理解していないゆえに、「欠落」にばかり注意を奪われ、願望の種を踏みつけ、破棄し、妨害する。

あなたが得るもののどのくらいがあなたによってコントロールされているのだろう？　すべてだ。あなたがかかわっているどれだけの出来事が、あなたの選択の結果なのだろう？　すべての出来事だ。日々、あなたと接するどれだけの人が、あなたによって招き寄せられたのだろう？　全員だ。あなたは自分の経験をどの程度コントロールするのだろう？　１００パーセントだ。どれだけの人が現在、あなたの経験を創造することにかかわっているのだろう？　一人もかかわっていない。どれだけの人が、あなたの身に起こっていることに責任があるのだろう？　一人もいない。偶然や運命や幸運があなたの経験を決める確率はどのくらいだろう？　ゼロだ。あなたの経験の絶対的な唯一の創造者は誰だろう？　あなただ！

9 影響力

感情というナビゲーションシステム

あなたの経験で他人がなんらかの役割を果たすとしたら、どんな役割を果たすのだろう？　逆に、他人の経験であなたがなんらかの役割を果たすとしたら、どんな役割を果たすのだろう？

あなたは他人と協力し合うことの便利さを欲したからこの次元、この時期、この場所を選んだ。身体に宿る前、より広い視野に立って、多くの心や思考があることの価値を認識したのだ。思考が力を持っていることを知ったあなたは、思考が豊富にある環境で暮らすという考えが気に入った。そのほうが自分の成長にとって有利だと見なしたからだ。豊富な品物をそろえたブティックやデパートで好きな物を選ぶのを楽しむように、また豊富な音楽をそろえたミュージックストアで曲の選択を楽しむように、あなたは自分の創造的な仕事場で、豊富な意図、期待、信念、経験から気に入ったものを選ぶのを楽しむのだ。

あなたは無知な初心者としてこの地球に生まれ落ちたのではないことを思い出してもらいたい。幼児のときでさえ、それとはほど遠い存在だった。あなたは意図的な創造者としてこの地球上に誕生し、独自の意図の下、自分なりのやり方で人生を創造する素材を選ぼうとした。そして、新たなフロンティアを発見し、新たなアイデアを生み出し、新たな勝利を味わうことを目指した。

思考はふんだんにある。あなたのそばにいる人や遠くにいる人から投げかけられた思考が、絶え間なくあなたに届く。ある思考を受け取ると、あなたのナビゲーションシステムが相応の感情を持って反応する。そのときあなたはなんらかの影響力を放出する。言い換えれば、あなたは受け取った思考に感情を持って応えるとき、その思考にあなたの力を付け足すのだ。

ある思考に触れたとき、もしネガティブな感情を覚えるとしたら、その思考があなたの選ぶものと調和していないことを示している。そんな場合、ネガティブな感情を警告のサインとして受け止め、意図的に望ましい思考を示せば、それ以上影響をこうむることはない。しかし、望ましい思考を示さずにそのままにしていると、もろに影響を受けるばかりか、あなた自身の影響力をそれに付け加え、強化することになる。

例を示してあげよう。あわただしい朝、あなたは出かける準備をしている。シャワーを浴び、服を選んでいると、テレビのコメンテーターが絶望的な世界情勢や、世界の別の地域での暴動とそれによる死者について詳しく語っている声がベッドルームから聞こえてくる。あなたが欲していることや、選びたいこととはまったく調和しないそれらの言葉を聞いたとたん、あなたはネガティブな感情を覚えるという形で「警告」を聞くか、「内なる存在」からのメッセージを受け取る。この導きは、あなたの注意が現在、望みの方向とは逆を向いていること、そして、このままこの方向に注意を向け続ければ、強力な「引き寄せの法則」によってさらに同じ影響をこうむり、自分の影響力をそれに付け加えることになることを示している。言い換えれば、あなたはこの不愉快な状況に否定的な注意を向けることで、実際にそれに影響を与え、あなたの思考や感情を付け足しているのだ。あなたがネガティブな感情を感じるときには常に、「内なる存在」が二つのことを告げようとしていることを認識してもらいたい。第一に、「ここに、あなたにとって非常に大切なものがある！」ということ。第二に、「あなたは自分が望むのとは反対のほうに注意を向けている」ということだ。以上のことに気づいたら、こう自問してほしい。「わたしが望んでいるものはなんだろう？」そして、自分が何を望んでいるかがはっきりしたら、「なぜそれを望んでいるのだろう？」と自問してもらいたい。自分が望むものや、なぜそれを望むかについて考えていれば、ネガティブな感情が引いていって、前向きな感情に取って代わることに気づき始めるだろう。あなたは効果的な転換を果たしたのだ。自分が欲していないものから、注意力、感情、影響力を撤退させ、自分が望むものに振り向けたのだ。

影響力とは？

あなたが他人の創造的な仕事において、どのような影響を与え、他人があなたの創造的な仕事において、どのような影響を及ぼすかを、わたしたちは「影響力」とよぶ。あなたは他人の経験を通して創造することはできないし、他人はあなたの経験を通して創造することはできない。しかしあなたがたは、個人的に創造しているとき、お互いに影響し合っている。それが「影響力」だ。

ほとんどの人間は「影響力」に気づいているが、部分的にしかわかっていない。自分の経験を高めてくれる可能性のある「影響力」を利用せず、自分自身をそれから守ろうとするのだ。その結果、利益を得るのではなく、損害をこうむることになる。豊富にある莫大な「影響力」と意識的に交流して利益を受けられるようになるには、創造の法則を徹底的に理解する必要がある。「影響力」の存在は、あなたにとって損害になるどころか、とてつもない価値を持ち得る。事実、あなたはそうした影響力を自分の成長に利用できるということで、この次元に生まれることを選んだのだから。

あなたは地球上に誕生する前から、思考の力を知っていた。調和した集合的な思考が途方もない力を持っていることを理解していたのだ。すべての思考が自分の願望や思考と調和する必要はないこともわかっていた。この集合的な思考から利益を得るために必要なのは、自分自身の思考とそれによって引き起こされる感情の方向をコントロールすることだけだということも、生まれる前からわかっていた。

大半の人間は、自分が選んだものではなく自分の好みでもない思考、信念、ライフスタイル、影響力などについてとても心配するため、自分が選んだものと調和する思考を引き寄せることの恩恵を完璧に逃してしまう。

見えない世界の思考を導く「感情」

ここでのわたしたちの狙いは、あなたがた物質的存在について、もっと深く理解してもらうことだ。どのようにすれば素晴らしい経験を持てるか、人生が望みどおりにいかない場合、どのようにすれば改善できるか、といったことだけではなく、人生の目的も理解してほしいのだ。

虫眼鏡を思い浮かべ、それが光のスペクトルを集め、針の先ほどの小さな点に光を集中させることができることに注目してもらいたい。そうやって集められた光は大変強力なので、一定時間集中した状態でいることを許されると、発火する可能性もある。あなたもそれと同じように、一種の虫眼鏡となって広範な知識や過去生の経験を集め、この世での経験に集中させるのだ。そうすることで、虫眼鏡と同じように、きわめて強力な力を持てるようになる。

あなたの住む物質世界、あなたが物理的環境として見、知っている、あなたや他人を含めたすべてのものは、見えない世界のエネルギーによって支えられている。この見えない世界のエネルギーの集中がなければ、あなたも、あなたの知っている世界のすべても存在しないだろう。地球を支えるこのエネルギーを、わたしたちは創造的な生命力とよんでいる。それは強い安定した流れとなってあなたのなかに流れ込む。家の壁のなかを通って流れる電気にたとえてみるといいかもしれない。電気器具のプラグをコンセントに差し込めば、誰でも電気を活用できる。同じように、誰でもその見えない世界のエネルギーにアクセスできるのだ。その結果を左右するのは、あなたの思考である。実際に、あなたが提示する思考は絶えず、見えない世界のエネルギーの流れを最終結果のほうへと導いている。ここでいう最終結果とは、あなたが生きている人生経験を指す。自分がどのようにそのエネルギーを活用し、どんな方法でそれに輪郭をつけてきたかを知るのは難しいことではない。なぜなら、あなたはその最終結果を生きているからだ。現在のあなたの暮らしは、見えない世界のエネルギーの流れを活用してきた結果にほかならない。あなたは文字どおり思考のバランスをとりながら生きているのだ。

思考のバランスをとる

見えない世界のエネルギーを受け取り、いささかの疑いや抵抗も抱かず、鮮明で堅固な思考（きわめて強力である）に焦点を当てれば、あなたは速やかにその思考の物質的結果を受け取る。だが、ある思考を示し、その方向に見えない世界のエネルギーの一部を送っておきながら、それを疑問視し、心配して躊躇すると、エネルギーの一部が反対方向に流れ、エネルギーを中和することになる。こうしたエネルギーの分裂は、行き詰まりの感覚をもたらす。それはあなたが一つの方向に向かっていないゆえに生じる感覚である。この場合、思考のバランスが、行き詰まり状態をもたらすのだ。

思考がバランスをとろうとするのは大変いいことだ。決断を下す前に、状態、観念、信念などを仕分けする機会を作ってくれるからだ。バランスをとろうとする力が働かなければ、一つの思考を受け取ったとき、すぐにその方向に向かってしまうだろう。あなたが新しい思考の力を緩和する信念を自分のなかに持つのは素晴らしいことなのだ。

既存の信念が、新しい欲求を満たす妨げになっていることに気づくと、すぐに捨て去りたいと考える人たちもいる。捨て去れば、迅速に決断することができるからだ。しかし、それは賢明な考えではないし、幸いにも、そうはならないだろう。というのも、あなたが現在抱いている信念はバランスをもたらすものであり、礎石の役割を果たしてくれるからだ。そうした信念がなければ、新しい思考に刺激されて、簡単にわき道にそれてしまうだろう。「20階建てのビルのてっぺんから飛び降りるのは、素晴らしい体験だと聞いたよ」とわたしたちが言えば、あなたは飛び降りてしまうだろう。

あなたの真の仕事――この完璧にバランスのとれた宇宙の物質的存在として――は、新しい思考を自分のなかにある既存の信念と絶えず照らし合わせ、今、自分が望んでいることを決めることである。その後、その決定の方向へ――その方向にだけ――思考の焦点を、意図的に断固として合わせればいいのだ。

10 真のバランスを見つける

自由と成長と喜びが人生の目標

あなたは、きわめて重要で考え抜かれたゆるぎない目的を持って、この時期、この場所で身体に宿った。成長を真剣に望むあなたが、この物質的次元を選んだのは、ここが実質的な成長を遂げるための枠組みを提供してくれることを理解していたからだ。あなたは心の底から自由を望んだ。そして、ゆるぎない自由を行使することによって、葛藤のないエネルギーを生み出し、その結果、この世に誕生した。見えない世界の視点に立って、この物質世界に誕生することを望んだとき、あなたは物質的身体のなかにいる自分をまったく躊躇せず明瞭に思考したのだ。あなたはまた、喜びや満足や快楽を欲した。自由と成長と喜びという三つの強力な目標は、あなたが物質的身体に宿る前からあなたのなかにあった願望や期待の基礎をなすものである。これら三つの強力な目標を意図的に調和させ続ければ、物質世界で最高に輝かしい経験をしながら、心の奥底の願望を同時に満たすことができるだろう。

わたしたちは「宇宙の法則」に関する知識を提供し、人が望みさえすれば、望みどおりのものを生み出す力と能力を持っていることを伝えたいと願っている。ところが、それを伝えようとすると、非常に大きな抵抗に出合う。というのも、ほとんどの人間は、自分が何を望んでいるかを決断する能力や権利を持っていることを信じないからだ。自分の外にいる強い力を持った信頼できる人物に善悪の判断をしてもらい、自分はただ彼らの作ったルールに従うことを好むのだ。しかし、そのような生き方で大きな満足や成功を見いだす者はほとんどいない。善悪の解釈が無限にあることをすぐに発見するからだ。もちろん、特定の信念を共有する小さな家族や共同体のなかでなら、それほどの混乱は起きないかもしれない。だが、さまざまな考えや信念を持った大勢の人々のなかでは、すべての人と合意する地点に達するのは不可能となる。そればかりか、他人がしていることや望んでいること、信じていることを理解するのさえ難しくなる。そうなると、大抵の人は理解し合うことの大変さに打ちのめされてあきらめ、黙って自分自身の不満の殻に閉じこもってしまう。そうでなければ、世の中の変革に乗り出し、人々を組織して数を増やし、よりよい生き方があることを他人に納得させようとする。ときに、興味や信念の異なる他者を抹殺しようとすることさえある。

喜びや成長や自由は、他人の作ったルールに従うことによっては得られない。そのことに気づいてもらいたい。あなたが身体に宿ったときに知っていた自由の感覚を再発見してもらいたいのだ。

あなたが求めているのは、他人をコントロールして、あなたがよりよい人生だと思っているものの方向に向かわせることではない。あなた自身の自由と成長と喜びの永遠のバランスを見いだすことなのだ。そうすれば、他人もあなたを見本に、自分自身のバランスを見いだせるかもしれない。

物質的存在であるあなたは、行動が物事を引き起こすと考えている。そのため、行動を通して物事を「引き起こす」ことに腐心する。行動が重要であるという考えは、次のようなセリフに示されている。「ひとかどの者になるには一生懸命働かなければならない」「何かが欲しかったら、手をこまねいて待っていても得られない。自分から出かけていって、手に入れなければならない」「最も働く者が、最も多くを得る」行動することに専念すれば、当然、毎日が行動で埋め尽くされるようになる。その結果、制限されているように感じる。目いっぱい行動するため、自由や喜びを感じている暇がないのだ。

わたしたちが気づいたところでは、人間は行動に頼るあまり、自分自身に反して働いている。あまりにも一生懸命行動しようとするため、疲れて欲求不満に陥り、圧倒されるのだ。そのようなネガティブな感情の立場から、自分の願望を宇宙に発信しても無駄である。宇宙はネガティブな感情のほうに反応するからだ。

「ある」から「持つ」、「持つ」から「する」へのプロセス——裏返しの創造

エスターは少しうんざりした。夫と一緒に2、3日旅行して戻ってきたら、郵便箱から郵便物があふれ、留守番電話には、メモリーいっぱいの伝言が詰まっていたからだ。それらを処理する途中で座り込んだエスターは、イライラしながらわたしたちに言った。「エイブラハム、わたしどうすればいいの?」

「また、何をすべきか知りたがる物質的存在のように振る舞っているね。君はどのように感じたいんだい?」とわたしたちは尋ねた。

「自由でハッピーでいたいの。やるべきことがたくさんありすぎると、自由でハッピーには感じられないわ!」

「ほらまた、何をしたいかを尋ねたのに、何をしたくないか話している」とわたしたちは言った。

エスターは笑って言った。「わたし、自由でハッピーでいたいの」「よろしい、では、少しの間、自由でハッピーな自分を考えてごらん」エスターは座って目を閉じ、フロ

ントポーチに座ってアイスティーをすすりながら、夫とおしゃべりし、リスを見ている自分を思い浮かべた。すると、すぐに自由と幸せを感じた。

「それで、今は何が欲しい？」とわたしたちは尋ねた。

「きれいに整頓した家とオフィスが欲しいわ」と素早くエスターは答えた。

「よろしい」とわたしたちは言った。「数日間、そのことを考えなさい。行動に走ってはならない。自分がどう感じたいのか、何を欲しいのかを考えるのだ」

数日もたたないうちに、アイデアがエスターに浮かび始めた。「これはこっち、これはあっちに動かせるわ。これは人に任せて、これは捨てればいいわ」彼女は幸せなエネルギーに満たされて、部屋中を飛び回った。うんざりしながら散らかった部屋を片づけたのではなく、アイデアが浮かんできて興奮したのだ。彼女は「欠落」に注目する否定的な地点から、背中を押され動機づけられたのではない。願望という肯定的な地点から、刺激を受け引き寄せられたのだ。


あなたは惨めな旅をハッピーエンドで終わらせることはできない！　だから、わたしたちは自分自身とバランスをとることを勧める。言い換えれば、「ある」から「持つ」、「持つ」から「する」の順序で創造する、ということだ。ところが、ほとんどの物質的存在はすぐに行動（「する」）に飛びつき、いら立ちを覚え、それをかき消すためにさらに行動し、もっと大きないら立ちを感じ、それをかき消すためにさらに行動に走る……。

自分自身のなかでバランスを探り、バランスをとるようになれば、経験することのすべてがより肯定的な色彩を帯びるようになるだろう。一方、バランスを崩せば、心地よく感じられることがほとんどなく、自分がやろうとすること、創造しようとすること、完成しようとすること、楽しもうとすることすべてにおいて、成功から見放され、満足をほとんど得られないだろう。

あなたのなかでは、自由、成長、喜びという三つの目標がしっかり確立されている。すべての行動をその観点から眺め、立ち止まって、自由、成長、喜びを感じたいという欲求が「ある」ことを確認したあとに、自分が「持ちたい」ものが浮かんでくるのを待ち、それから自由や成長や喜びを感じたいという欲求を満たしてくれる「行動（する）」がひらめくのを許せば、自分がするすべてのことで調和を見いだすだろう。それをわたしたちは「裏返しの創造」とよぶ。

平均台の上にいる体操選手はバランスを崩したとき、宙返りしてバランスをとり戻そうとはしない。バランスを崩すと床に落ちる可能性があり、状況はよくなるどころかますます悪くなり、いっそうコントロールできなくなるからだ。そんなときは、動きを止めて後ろに下がり、バランスをとり戻してから、前に進むのだ。

ネガティブな感情に見舞われ、自分がバランスを崩したことに気づいたときには、そのまま前に進んでもバランスをとり戻すことはできない。前進する前に後退し、バランスがとれる場所を見つけなければならない。気分が悪いときに、否定的な立場にあなたを追いやった具体的な状況について考えると、「引き寄せの法則」によってさらに否定的な好ましくないものを引き寄せることにしかならない。しかし、自分のなかを覗いてみれば、そうした状況から後退したところに、バランスのとれる場所があることがわかる。その場所を見いだせば、前進することができる。そのときになって初めて、あなたは「引き寄せの法則」により、自分が望まないものではなく望むものを引き寄せるようになるだろう。

わたしたちの友人エスターは、非常に鮮明な夢を見た。夫と一緒にごくありふれた街を歩いていたとき、少し開いているドアがあり、「売り出し中」という看板が前にあることに気づいた。彼女はその殺風景な外見に退屈し、不平さえこぼしていたが、どんな家かなかに入って見てみようと夫を誘った。開いたドアからなかに入ると、彼らはこれまで見たことのないような美しい部屋のなかにいた。丸天井は非常に高く、美しい装飾を施されていた。大きな出入り口はアーチ型で、精巧な彫り物がしてあり、光沢のある塗料で塗られていた。床には石と木と美しい宝石がはめこまれていた。部屋の美しさに釘付けになったエスターは、「この家が欲しい」と夫に言った。夫が同意したので、彼らはその家を買った。夢は素早く進行し、エスターと彼女の伴侶のジェリーは、あちこちから自分の持ち物を集め、新しい家に送った。そして、突然、エスターは気づいた。「この家はわたしが住みたい街にないわ。実際のところ、住みたくない街にある。この家が美しいということを除けば、まったく住みたい条件にかなっていないわ」

エスターの夢は、多くの人が行っているバランスを欠いた創造の例である。というのも、あなたがたはしばしば、非常に表面的な願望しか満たしてくれない決断を性急にするからだ。ところが、あなたの行動や決断は、自分にとって本当に大切な意図に逆らうのだ。

あなたはしばしば「欠落」しているという立場から、そうした「欠落」を埋めてくれるものを探す。それはおそらく、あなたがずっと望んできた何かを満たしてくれるかもしれないが、あなたの心の奥にあるもっと真摯な願望としばしば矛盾する。すべての願望をまず「ある」という観点から考察し、次に「持つ」という観点、そして最後に「する」という観点から考察すれば、一部の意図しか満たされないということはなくなるだろう。

「ある」から「持つ」、「持つ」から「する」というプロセスと、「転換」のプロセスは両方ともバランスを見いだし、維持するのを助けてくれるのだ。

11 引き寄せの法則

あなたは自分の経験をいつも引き寄せている

普遍的な「宇宙の法則」を提供することに、わたしたちは大きな喜びを感じる。「宇宙の法則」を理解しない限り、自分自身のためにそれを意図的に活用することはできないからだ。どんな話題でもそうだが、「宇宙の法則」に関するわたしたちの説明は、極端に複雑なものからごく単純なものまで多岐にわたっている。わたしたちの教える能力は、わたしたちがどれだけ知っているかにかかってはいない。わたしたちから知識を学ぼうとする人間が何を理解できるかを、わたしたちがどの程度理解できるかにかかっている。というのも、あなたが何を理解できるかがわかれば、わたしたちが知っていることを、意味のあるやり方で提供できるからだ。もちろん、人によって理解力、視点、信念、欲求、経験がそれぞれ違うことはわかっている。そのため、一部の人はほかの人より、わたしたちが書くもの、実際にはわたしたちが知っているものを容易に理解する。

わたしたちは、あなたが抱く思考、意図、信念のバランスによって、文字どおり招集された。あなたが本書を手にしているとすれば、それは、あなたがバランスのとれた意図を抱いていることを示す証拠となる。

地球上で暮らすあなたがたは、いくつかの地上の法則を受け入れ、それらがすべての人間にまったく同じ影響を及ぼすことを認識するに至っている。例えば、重力の法則。あなたがたはそれを受け入れ、自らの経験を通して理解しているから、現在、自由に活用できる。

わたしたちがあなたに思い出させたいのは別の法則だ。重力と同じように、すべての人に影響を及ぼす法則である。あなたが理解するしないにかかわらず、また、あなたが受け入れるか受け入れないかにかかわらず、それはあなたに影響を及ぼす。重力は地上でのあなたの物質的経験に影響を及ぼす法則だが、わたしたちがこれから説明しようとしている法則は、物質的、非物質的なすべての経験に影響を及ぼす。この法則は永遠無窮であり、どこでも適用される。たくさんある法則のなかで、最も強力で、最も重要な法則、それが「引き寄せの法則」だ。

わたしたちは「引き寄せの法則」を次のように定義する。存在の基盤。宇宙の最も強力な単独の法則。成長の基礎。

「引き寄せの法則」は宇宙の調和を維持する基盤である。それは、あなたの惑星とそのほかすべてのもののバランスを文字どおり完璧に維持する。また、わたしたちの現在の存在のあり方を許容・可能にしながら、成長をも許容・可能にする。

簡単な言い方で、「引き寄せの法則」を次のように言うことも可能だろう。「それは自身に似たものを引き寄せる」

この法則はきわめてシンプルでわかりやすい。にもかかわらず、わたしたちの物質的な友人の多くが、それを理解しないばかりか、それとは正反対のことを信じてしまっているのは驚くべきことだ。彼らは自分の身に起こることを、自分が招いたこととは見なさず、なんでも人のせいにする。あたかも「主張の法則」とよぶべきものがあるかのように考えるのだ。だが、あなたは自分の経験を引き寄せる唯一の源として存在している。他人はあなたの経験に割り込むことはできない。自分の経験を引き寄せ、受け取れるのはあなただけなのだ。

あなたは自分の経験となるすべてを引き寄せる。たまに、他人の経験に引き寄せられるかのように感じることがあるかもしれないが、そのときでさえ、自分の身に起こることに関しては、もっぱらあなたが引き寄せているのだ。

どんな経験を引き寄せるかは、意識的な思考とそれに対応する感情との組み合わせによって決まる。あなたがなんらかの思考を抱くと、感情が生まれる。感情が生まれると、エネルギーがあなたから放出され、それに見合ったものを引き寄せる。

例えば、あなたが望みのものについて考え、興奮や幸福感を感じるとしよう。その瞬間、あなたが選んだ思考とそれに対応する肯定的な感情の組み合わせが、あなたの思考や感情の対象を自分のほうに引き寄せるのだ。

逆に、自分が望んでいないもの、もしくは、自分が望んでいるものが欠如していることについて考え、失望や怒りを感じると、あなたが選んだ思考とそれに対応する否定的感情の組み合わせが、その瞬間、あなたの思考と感情の対象を自分のほうに引き寄せる。

あなたの思考と相応の感情のバランスが、あなたの人生経験に等しい。もし自分の思考のバランスについて理解したかったら、自分が今生きている状態を見てみればいい。現状を変えたかったら、あなたの思考のバランスを変えなければならない。

現在、あなたが立っているところは、以前にあなたが抱いた思考と感情の結果である。一方、これから向かおうとしているところは、現在、あなたが立っているところの視点によって決められる。

ある人たちはこう言う。「エイブラハム、求めれば得られるとあなたは言います。求めることがすべての意図的な創造の始まりだと。だけど、わたしはずっと昔から、もっとたくさんのお金を求めてきたのに、まだ入ってきていません。何が間違っているんでしょう？」

わたしたちはこう説明する。「お金の問題に関する思考のバランスを理解することが大切なのだ。あなたは純粋にお金を欲しているだろうか？　もし純粋に欲しているのなら、お金の問題を考えるたびに心地よくなるだろう。あなたは、自分の欲しがっているお金が不足していることのほうを気にしてはいないだろうか？　もし気にしているなら、お金について考えるとき、心地よくないか、ネガティブな感情を覚えるだろう。今、どう生きているかが思考のバランスを示す真の指標であるのと同じように、お金の問題について、あなたが主としてどう感じているかが、その問題に関する真の思考のバランスを推し量る指標となるのだ」

お金を引き寄せる「財布のプロセス」

もしお金の問題に関するあなたの思考のバランスが、純粋にお金が欲しいということより、お金が不足していることのほうに傾いているなら、思考のバランスをとるのに効果的なプロセスがある。まず、あなたの予算や貯蓄から一定のお金を確保する。はじめは１００ドルで十分だろう。それをポケットか財布に入れて、どこにでも持ち歩くのだ。一日を過ごす間に、そのお金でやろうと思えばできることを、できるだけたくさん突き止めよう。100ドルで買ったり、使ったり、経験したり、食べたりできるものだ。それを聞くと、こう言ってわたしたちをからかう人がいる。「エイブラハム、あなたは最近、物質化したことがないようですね。なぜって、いまどき100ドルではたいしたものは買えませんよ」だが今日、あなたが心のなかで、1000回、100ドルを使えば、10万ドル相当のお金を使ったことになる。そうすれば、あなたの思考のバランスは必ず変わると約束する。

お金の問題に関するあなた自身の思考に注目してもらいたい。もしあなたがお金に関し欲求不満を感じていたら、思考のバランスは「不足している」という側に傾いていることを知ってもらいたい。他人がお金を持っているのに、自分が持っていないということで、嫉妬や怒りを感じたら、バランスが不足しているという側に傾いている証拠だ。請求書の支払いをするとき、あなたは気分がいいだろうか、それとも気分が悪いだろうか？　お金が指の間から消えていくとき、あなたは肯定的な気持ちになるだろうか、それとも否定的な気持ちになるだろうか？

右に述べた財布のプロセスは、お金の問題に関するあなたの思考のバランスを変えるのを助けてくれるだろう。バランスがとれた瞬間、より多くのお金があなたの人生に流れ込み始めるだろう。それが法則なのだ。

12 意図的創造のプロセス

「惰性による創造」と「意図的創造」

成長、変化、創造のプロセスには終わりがない。すべての思考は文字どおり、あなたの人生に新たな要素を付け加える。しかし大抵の人間は、同じような生き方をし、習慣的に行動したり、周囲の影響を受けて行動したりしているため、日々、毎回同じ思考を巡らせる。それゆえ、彼らの生き方は実際にはほとんど変わらない。

わたしたちにこんなことを言う者がいる。「エイブラハム、わたしが自分自身の経験の創造者だなんて信じられません。こんな恐ろしいことを自分自身にした覚えはまったくありませんから」それに対して、わたしたちはこう答えた。「あなたがそれを意図的にしたとは言わなかったけど、それが常にあなたのしていることだと確信している」それをわたしたちは「惰性による創造」とよぶ。知らず知らずのうちに、絶対的な「宇宙の法則」を適用し、自分が望んでいない結果を得ているのだ。もちろんあなたは、望まない何かを生み出したとき、自分の責任を否定しようとするだろう。だが、自分が経験しているすべてのこと――肯定的、否定的を問わず――に積極的に責任をとるまで、あなたは自分の本当の自由を認識することができない。自分の外部の誰かや何かが、自分をコントロールしている、あるいは自分の経験の中味を生み出していると信じている限り、あなたは自由ではなく、彼ら（あるいは、それら）の気まぐれ、欲求、信念に縛られる。

あなたは絶対的自由が行き渡っている宇宙に存在しているので、本来、自由なのだ。だからこそ、あなたが抱くすべての思考があなたの個人的な経験に影響を及ぼす。それ以上、偉大な自由はないのだ。

したがって、この壮大な物質世界にいるあなたの仕事は、本来の自分になるために、あるいは自分にとって大切なものを持ち、正しいことをするために、意図的に思考を操ることである。

あなたは絶えず思考を生み出している。また、絶えず自分の経験を創造する過程にいる。だが、わたしたちが観察したところでは、物質世界の友人の多くは、「宇宙の法則」を理解していないため、意図的に思考を送り出していない。彼らは、自分自身のナビゲーションシステムも理解していない。

あなたは絶えず創造している。事実、あなたは創造のメカニズムのスイッチを切ることができない。だが、思考を意図的に自分が望む方向に向けることはできる。

そのため、本章のタイトルは「創造の法則のプロセス」とせずに、「意図的創造のプロセス」とした。自分の望むものを意図的に創造する方法を知りたいというのが多くの人の願いだと思うからだ。

意図的創造の二重のプロセス

意図的創造のプロセスは二重になっている。あなたの思考と、それによって生じる感情だ。あなたは意識的な物質的観点から思考を送り出し、あなたの「内なる存在」がそれに対応する感情をあなたに返す。したがって、物質的なあなたと「内なる存在」が共同で創造にあたっているといえる。

物質的なあなたは、物質的な時間、場所、意図、信念の細部を創造する。見えない世界のあなたは、見えない世界の視点からあなたが抱くより広い意図を自覚させる。そして、あなたの現在の願望や意図が、あなたが持つ信念、さらにはより広い意図から外れないように調整する役割を果たす。自分がどう感じているかに注意を払っていれば、それを導きにして、人生経験を創造する（あるいは形作る）さいに、どうするべきか完璧に決断することができるのだ。

「すること」に力点を置くと、後ろ向きに創造するのが普通である。それに対し、まず自分がどう感じたいか、そして自分が何を手に入れたいかを突き止め、そのあとに、ひらめいた行動に移れば、裏返しに創造することになる。そのようにして、あなたは文字どおり自分とのバランスをとるのだ。このプロセスを用いれば、否定的な観点から行動を起こし、間違っているものを修正しようとしたり、補おうとしたりしなくなるだろう。あなたは常に肯定的な立場に身を置き、どんどん明晰になっていくだろう。

あなたは自分の思考と感情のバランスを生きている。というのも、考えると感情がわき、その思考と感情の組み合わせが経験を創造していくからだ。あなたは多くのレベルで考えているし、自分の経験のさまざまな側面について考えている。また人生のいろいろな局面について考えている。考えるテーマは、家庭、人間関係、身体、家計、会社組織、兄弟姉妹の関係、仕事の同僚との関係など、そのときどきによって変わる。自分が今していることについて考えることもあるし、昨日や昨年について、また何年も前の人間関係について考えることもある。そうかと思うと、これからのことや、人生の方向性についても考える。つまり、あなたの思考は過去、現在、未来の広範な話題を渡り歩くのだ。そのなかには、はっきりしている話題もあれば、漠然としているものもある。そのすべてが、あなたの人生のバランスを作っている。あなたは今日、思考と感情のなんらかのバランスを示す証拠として、ここに立っているのだ。

いったん、あなたが自分の経験の創造者であること、自分が思考を通していろいろなものを引き寄せていることを理解すれば、現在のあなたの人生にどのようにしてたどり着いたか、比較的簡単に理解できる。何かが起こると、あなたはよくこんなふうに言う。「そうなるのを知っていたんだ」あなたは心のどこかで、これから起ころうとしていることを常に知っているのだ。なぜなら、一から十まであなたが創造しているものだから。

意図的な目標を持って、来るべきものを期待するほうが、自分の来し方を振り返って、その足跡をたどり直すよりはるかに満足が大きい。だが、あなたが自分の経験の創造者であることを理解する初期の段階で、自分の足跡を振り返り、自分がその足跡を作ってきたことを確信できれば、それは有益なことだ。何か素晴らしいことが起こったら、立ち止まって自分がそれを招き寄せたことを認め、どんな思考や感情のせいでそのようなことが起こったか突き止めてもらいたい。逆に、何か気に食わないことが起こったら、立ち止まって、何が原因かを見極める必要がある。

自分の身に起こるすべてのことに進んで責任をとろう。そうすれば、想像しうる限りの素晴らしい未来を築くための、輝かしい究極の自由を見いだすことになるだろう。

それを意図的創造とよぶ。まず、自分が自分の経験の創造者であることを認め、思考するものを必ず受け取れるという期待を持って、意図的に思考するのだ。

物質世界の多くの友人が「意図的創造の法則」を理解したがっているのを見るのは心躍ることだ。この法則を理解するのに、あなた自身の個人的な経験を評価する以上の良策はない。あなたの思考や行動と現在の人生とのつながりがわかれば、今、立っているところにどのようにしてたどり着いたかがわかるだろう。しかしあなたは、過去に何がどのように起こったかを明らかにするために、この世に誕生したのではない。

あなたは創造者なのだ！　物質世界で壮大な創造を行うために、「宇宙の法則」を適用すべく、この時と場所を特別選んだのだ。あなたは完璧にバランスのとれたこの場所に生まれ、この時と場所のデータを集めることに没頭しているのである。周囲のデータを観察し、取り入れることで、意図的な決断を下し、物事に集中するのがあなたの仕事だ。

あなたが立っている物質的な地球も、同じようにして創造された。データが観察され、取り入れられ、評価され、それから結論が引き出され、決定されたのだ。物質的な目を通して物質世界に焦点を当てているあなたの仕事は、一瞬一瞬の思考と感情を通して、このような創造をさらに推し進めることにある。

あなたは永遠の自由を表現し続けながら、喜びを探し求め、成長するためにやってきたのだ。

・あなたは試されるため、また評価されるためにここにいるのではない。創造するためにいるのだ
・あなたはほかの誰かが以前に敷いてくれた道を発見するためにここにいるのではない。あなたが自分の道の創造者なのだ
・あなたは自分が従ってもいい真理を発見した人を探すためにここにいるのではない。あなたが真理であり、喜びと成長の道を探し求めているのだ

「創造」という言葉をわたしたちは広い意味で使っている。「あなたは自分自身の経験の創造者である」とわたしたちが言うと、物質世界の友人のほとんどは、大変狭い短絡的な意味でそれを解釈する。遠くをよく見ようとしないのだ。

創造することにより意図的であるとすると、しばしばあなたは物質的観点から成功や失敗をとらえ、たくさん物を獲得できればできるほど成功すると考える。

究極のトロフィー、それは喜びなのだ!

この世の経験の物質性はきわめて重要であり、物質的な成功はあなたが身体を持ってここにいる理由の大きなものだ。しかし、持つことのすべて、行うことのすべては、あなたの存在状態を高めるためにあるのだと、わたしたちは強調したい。言い換えれ

ば、あなたが知っているすべてのもの、物質領域に存在するすべてのものは、あなたの身体を含め、あなたの存在状態を高めるというたった一つの目的のために存在する。それはすべてあなたの感じ方を高めるためにある。あなたの存在状態を高めるためのものなのだ。

よって、わたしたちの「意図的創造」の定義は次のようになる。存在状態を高めるという意図を持った意識的、意図的な思考の提示。そして、わたしたちは全員、永遠に成長する状態にあるので、わたしたちの創造的努力には終わりがない。

知ってのとおり、人生の基盤は絶対的自由である。人生の目的は絶対的な喜びであり、人生の結果は絶対的な成長なのだ。

13 あなたの力の作用点は今にある

創造の対象はあなた

新しい家、新しい体型、新しい職業を獲得するという目標を立てて、それを達成すると、新しい家、新しい体型、新しい職業が創造の対象だと間違って思い込む。だが、創造の対象は常に存在状態なのだ。この物質的な人生で、あなたは存在状態を高めるために、家、身体、仕事といった形を利用する。しかし、家や身体や仕事といった物質的なものが創造の対象なのではない。

創造の対象はあなた。あなたの存在状態、言い換えれば、あなたがどう感じるかが創造の対象なのだ。

自分の存在状態を観察する方法がわかれば、あなたは自分をどのように創造しているかをもっと鮮明に理解できるだろう。

自分がどのように感じ、どんな存在でありたいかを意図的に突き止めれば、あなたは身体に宿ったときに達成したいと思っていたことを、もっと効果的に達成するようになるだろう。

素晴らしい作品を手がける彫刻家は、完成した作品から最も大きな満足を引き出すのではない。いったん作品が完成すると、ほんのつかの間、至福の達成感に酔いしれるかもしれないが、すぐに次の作品の制作に取りかかりたいという衝動を覚える。彼の喜びは「なる」ことにある。彼の創造は芸術作品のことではない。彼は自分自身の創造者なのだ。彼は作品にではなく自分自身に完璧さを求めて努力している。彼は芸術作品の創造者の創造者なのだ。

彼は思考を利用して宇宙のエネルギーに輪郭を与えることによって創造する創造者である。ナビゲーションシステムの力を借りて、普遍的なエネルギーをどのように活用すればいいかを認識する創造者、絶対的な自由のなかで、自分の成長や喜びを経験する創造者、終わりのない成長・冒険の途上にある創造者、この物質世界で生きること、愛すること、成長することを選んだ創造者、自分が考え、話し、経験する一切のことで、「すべてであるもの」に利益をもたらす創造者、自分が自分自身にとって価値がなければ、宇宙にとっても価値がないことを理解できる創造者、肯定的な感情を呼び覚ます思考、言葉、行動を選べば、その瞬間、宇宙に肯定的な方法で新しい経験を付け加えることになることを理解している創造者、建築家、ミュージシャン、俳優、修理工などの仕事――あるいは、生きる仕事、笑う仕事、愛する仕事、どこにいてもどんなときでも最高に幸せな人間になる仕事――を選べる創造者だ。

実際に、あなたはさまざまな経験を通して喜びを見いだすために存在しているが、見いだされるべきものを探さなければならない。最初に自分自身の喜びを探そうとしなければ、おそらくそれを見いだせないだろう。見いだせなければ、他人にも与えられない。

創造のスイッチは切れない

あなたは今、この瞬間、創造する立場にいる。創造はあなたが準備をして行うものではない。いつの日かやりたいと願うものでもない。あとに物事が落ち着くべきところに落ち着いたら、行うものでもない。あなたは今、この瞬間、創造の途上にいるのだ。

もしこの瞬間、あなたが前向きな気持ちでいるか、平常心を保っているなら、ここに書かれている情報を、なんの抵抗もなく受け取っている。だが、最近、気になることが起こり、この瞬間、苦痛や不快感を覚えているなら、ここに書かれている言葉に抵抗を感じているかもしれない。わたしたちの認識によれば、肯定的な創造の状態にあるときのほうが、創造者としての役割を受け入れやすい。ときに、つらい感情に見舞われたとき、あなたはその地点にとどまり、苦痛をもたらした問題をじっくり考えようとする。ほとんどの人は、気分がよくなるまで創造のスイッチを「切っておく」ことができると信じている。だが、あなたは決して創造のスイッチを「切れない」ことを強調しておきたい。あなたは思考を授受しているときは常に、創造に入っている。あなたが感じる感情が、創造の方向を示す信号なのだ。

人間は普通、創造を一時停止できると信じている。行動を通して創造すると信じているからだ。よって、一日何もせずに過ごし、深く考え込んでいると、創造が前に進んでいないと思い込む。そんなことはない。行動よりも思考とそれに対応する感情のほうが、創造行為のはるかに大きな部分を占めているのだ。

わたしたちは「行動」を、物質的な動きないし運動と定義する。わたしたちが行動に大きな価値を置くのは、それがより大きな目的に仕えるか、より大きな目的をかき立てる場合に限られる。行動は意図的に定められたより大きな目的のために行うとき、最も実り多いものになる。ほとんどの場合、物質的な人間はそれを理解していない。それゆえ、より大きな意図を考えることも、明らかにすることも、認識することさえもせず、次々と行動に走る。

「より大きな意図」とは、あなたの存在状態から生まれる意図を意味する。自由、成長、喜びといった意図だ。行動を起こす前に立ち止まって、「この行動はわたしが目指す存在状態を実現する助けになるだろうか?」と自問すれば、それが適当なものかどうかが必ずわかるだろう。

人生に大きな違いをもたらすのは行動ではなく、自分が主として感じている感情である。そのことを理解すれば、行動を適切な観点から眺めることができる。行動があなたの存在状態に影響を及ぼし得るというのは事実だし、あなたの存在状態もしくは感情の状態がいろいろなものを引き寄せる磁力の源であるのは確かだが、最初に行動を考えるのは適切ではない。最初にあなたが目指す存在状態を特定し、次に自分が何を「持ちたい」かを明らかにし、最後にあなたが求める行動を突き止めるのが、あなたの全般的な創造にとってはるかに有益である。

感情と行動

あなたの願望と期待のバランスが、思考と感情のバランスをあなたのなかに生み出す。そのバランスの地点から、あなたはいろいろなものを引き寄せる。行動、言葉、思考の組み合わせが、あなたにとって心地よく感じられる場所にいつも連れていってくれるなら、あなたの人生はかなりうまくいっていると思っていいだろう。けれども、不安や劣等感、失望などにいつもさいなまれているようであれば、人生があまりうまくいっているとはいえない。

物質世界の友人のほとんどは最初に行動し、その行動が自分の感じ方に影響を及ぼすのを許容・可能にする。どう感じるかが引き寄せの作用点になるので、自分の行動が人生で最も重要なものだと彼らは結論する。だが、行動ではなく、自分がどう感じたいか、つまり自分の存在状態に注目していれば、あなたが目指す喜ばしい成功に向かってもっと素早く効果的に進んでいけるだろう。自分が求める存在状態が明らかになれば、適切な行動がひらめくからだ。

存在のために行動することは、行動のために存在することほど効果的ではない。否定的な存在状態にあるときになされる行動はすべて、望みの方向に向かうのを邪魔する働きをする。

ひらめきによってなされる行動はすべて――あなたが自由、成長、喜びといった肯定的な目標に重点を置くなら――、あなたの目標と完全に調和する。

テーマが健康、富、人間関係、そのほかなんであれ、「もし……しなかったら」という否定的な思いから行動するとき、あなたは自由、成長、喜びを求める願望に逆らっている。別の角度から述べてあげよう。例えば、働かなければお金がもらえないという思い込みから、嫌々仕事に行くとき、「嫌」という否定的な感情が主要な作用点となり、「嫌」な状態をもっと引き寄せることになる。だが、最初に行動する代わりに、自分が自由（あなたの稼ぐお金は自由と同義である）、成長（他人との交流は常に新しい理解をもたらす）、喜び（探せば、いつどこでも見つけることができる）を追求していることを確認すれば、それらの核になる目的と調和する行動が思い浮かぶだろう。

あなたは、今の自分と同じものを引き寄せる。だから、感じたいことを感じるようにしてもらいたい。そして、その地点から行動を導くのだ。感情を変えるために行動すると、順番が逆でうまくいかないからだ。

欠乏感から行動しない

一人の若者が、母親の死の知らせを受け取って悲嘆にくれ、最近電話してきた。「エイブラハム、母は死ぬような人じゃなかったんです。とても健康な女性でした。週に三度、エアロビクスに行っていたし、あらゆる種類のサプリメントとビタミンをとり、健康食品だけを食べていたんです。どうしてこんなことが起こったのでしょう？」わたしたちはこう説明した。「彼女は健康を損なっていると密かに感じていて、それを補うためにエクササイズをし、健康食品を食べていたんだよ」「欠落」しているという感情から行動を起こすと、その状態に力を与えることになるのだ。

例えば、不安を感じているために攻撃的に振る舞う人を見たことがあるだろう。彼らは安心感が欠けているという感情を、行動によって補おうとする。しかし、行動で不安感を補うことはできない。そのような行動は、内部にある欠如感を強めるだけだからだ。彼らが感じる欠如感は、引き寄せの作用点なのだ。したがって、まず安心感が欲しいという願望に焦点を合わせなければならない。そうすれば、安心感を高める行動がひらめくだろう。

あなたが現在持っていないと信じているものを強烈に求めるとき、それを得ようとして行動を起こすのが普通である。その根底には、価値を持ちたい、前進したいという生来の願望がある。わたしたちの観察によれば、欠けていると信じているものを得ようとしてとる行動そのものが、あなたの求めるものをさらに遠くに押しやる場合がとても多い。より正確に言ってあげよう。事の発端となった、「欠けている」という感情そのものによって、あなたは自分が欲するものが欠けている状態を引き寄せるのだ。

自己評価や自己イメージが異様に低い人物がいる。そういう人物は、価値を持ちたい、自分を評価したという根深い願望を強く持っているので、自分自身をより重要だと感じさせるような行動をしばしばとる。彼らは自分自身をもっと好きになろうとして、よく他人を批判する。自分を好きになりたいから、他人の欠点をあら探しするのだ。しかし、望みどおりにはいかない。「引き寄せの法則」の力によって、他人を批判すれば自分も批判されるからだ。そして、自分が批判されれば、元気づけられるどころか、意気消沈してしまう。だから、彼らの行動は無益なのだ。事実、それは自分自身を評価しようとする者には有害である。

あなたがどう感じるかが大切

別の例を挙げよう。経済的成功を切望しているのに、いまだそれを達成できない人に出会ったことがあるだろう。彼は自分が望んでいる成功を手にしていないことに気づき、それに耐えられない。それゆえ、自分自身をより強く感じるために、成功していない人を探す。しかし、他人が成功していないことを発見しても、自分の弱さを確かめるだけにすぎない。彼はそのことで力を得るどころか、自分をいっそう弱く感じ、より批判的になる。そして、弱さはさらなる弱さを引き寄せ、批判はさらなる批判を引き寄せる。こうして、成功はさらに遠のいていく。

お金をもっと欲しがっている人物がいる。預金通帳の残高を見て、彼は落胆する。そこで、欲しいものを買うお金が十分にないこんな生活は嫌だと決心し、副業を得る。

だが、「落胆」という気持ちを引きずったまま、事態を好転させるために行動を起こしても、否定的な状況しか引き寄せられない。彼は物理的な意味では全力を出し切るかもしれないが、彼の人生は改善されない。なぜなら、彼のネガティブな感情はいっそうひどい「欠乏」を引き寄せるだけだからだ。事実、彼は一生懸命働けば働くほど、落胆を感じる。そのため、状況を変えようとする熱心な努力にもかかわらず、「欠乏」が延々と続いていく。

別の例を見てみよう。ある女性が健康を求めている。彼女は病気を自覚しており、自分の周囲にも病気の例をたくさん見てきた。病気の危険性に注目した彼女は、よくなろうと固く決心する。否定的な地点から、よくなろうと決心するのだ。彼女はその決意を、毎日運動する、サプリメントのビタミンやミネラルを摂取する、健康食品のみを食べるといったことで実行に移すが、健康は改善されるどころかさらに悪化していく。彼女の行動は自分のもろさの感情を補償するために行われているからだ。その感情こそが、彼女の引き寄せの作用点なのだ。

以上の例から理解してもらいたいのは、欠乏感を補おうとして行動を起こすと、欠乏状態をさらに悪化させるだけ、ということだ。

人は、自分でそうではないと思っているものになろうとしてもなれない。まず、自分はそうだと信じなければならない。最初にそれを引き寄せることに成功したと感じなければならないのだ。お金が欲しかったら、順調にお金を引き寄せていると感じなければならない。健康になりたかったら、どんどん健康になっていると感じなければならない。

自分の求める感情を感じることに注意の99パーセントを向け、残りの1パーセントを思いついた行動に向ければ、絶えず喜びに満ちた幸せな状態にありながら、力強く前進できるだろう。

自分の見方を大切にする

別の例を挙げよう。大金持ちになりたがっている一人の若者がいる。預金通帳に1000ドルしか残っていないのを見て、彼は金持ちとはほど遠いことを認める。しかし、お金がないことや、自分の持ち金と億万長者になるために必要なお金との落差を認める代わりに、彼は自分が持っている1000ドルの価値に注意を向ける。それでどれだけの物が買えるかを推し量るのだ。毎日、40～50回、その1000ドルを頭のなかで使ってみる。自分が持っているものと望んでいるものとの落差に注意を向けずに、自分が持っているものの価値を認めれば、裕福だという感覚が得られる。その感覚を起点にして、少ないお金を大金に膨らませるチャンスや環境を引き寄せるのだ。
もう一つの例を挙げよう。健康な美しい身体を持ちたがっている一人の女性がいる。鏡に映った自分を見て、自分は美しくない、あまりに太りすぎだと彼女は思う。しかし、彼女は太りすぎに注意を向けずに、自分の身体的特徴に注目する。自分がいかに強いか、いかに滑らかできれいな肌をしているか、いかに機敏に反応するかを認めるのだ。つまり、自分を落胆させる身体の一部ではなく、自分にとって好ましい身体の一部に注意を向けることによって、自分は美しいと感じ始めるのだ。そうしているうちに、美しい自分のイメージどおりになっていく。

自分についてひと言他人に言われ、改めて自分を見直してみるということがある。そんなとき、あなたは自分自身に好感を持てないかもしれない。言い換えれば、他人からの注目があなた自身の自覚を高めることがよくあるのだ。あなたが自分自身のなかに見たいと思っているものを、あなたのなかに見てくれる人と交流するのは、非常に有益である。その逆に、あなたが見たいものを見てくれない人を近くに置くのは、あなたの自己評価に有害な影響をもたらすことがあり得る。あなたに関する彼らの評価は、実際にはあなたとはあまり関係がなく、彼ら自身の自己評価を反映していることが多いのだ。そのことをあなたは普通、理解していない。だから、他人の目を通してあなたが自分自身を評価すると、どうしても厳しく自分を見てしまうのだ。

わたしたちは、自分に対するあなたの意見を最優先させるよう勧めたい。「素晴らしいところを発見しよう」という意図を持って、自分自身を調べることに最大の努力を払ってもらいたい。あなたがどう感じるかということを、最も大切にしてもらいたいのだ。あなたがどう感じるかということが、人生に引き寄せるものを決定するというのがわたしたちの信念だからだ。自己を評価すれば、あなたはあらゆる種類の素晴らしい出来事を引き寄せることになるだろう。

自分を評価できる心境に達すれば、満足のいくものを引き寄せられるようになるだけではない。あなたはバランスのとれた人間になるので、他人のなかにも素晴らしいところを見つけ、彼らの自覚を高めてやることができる。

そうしたわたしたちの考えを自己中心的だと言って責める人たちがいる。まるで、自分に注目するのが悪いことのように。だが、わたしたちは知っている。あなたは識別能力を持った自己の目を通して、すべてのものを知覚するので、健全な自己のバランスを保つこと以上に重要なことはないということを。

自分自身に愛を感じない人は、他人に愛を与えることはできない。自分が幸せでない人は、他人を喜ばせてやることなどできない。つまり、自分の持っていないものは、他人に与えてやれない、ということだ。

あなたが感じるとき、何かが外側へとあふれ出る。あるいは何かが放射される。そして何かを自分のほうに引き寄せる。このように、あなたは、世界に、実際には宇宙に影響を与えるのだ。

物質的なものも見えないものも同様に、あなたが感じることから利益を得る。

行動があなたの思っているほど重要ではない、という考えに抵抗を感じるとすれば、それは純粋に物質的な観点から人生を見ているからにほかならない。この世で生きている間、あなたは完全に物質世界にどっぷりつかり、自分が生きていくうえで大切なすべてのものを物質的な目を通して知覚してきたと信じている。そのような狭い物質的な見方に立てば、行動はあなたの人生において重要な役割を果たしており、何かを成し遂げたり、創造したりするとき、行動が主要な役割を果たすと信じるのは理にかなっている。だからあなたは、自分の人生を振り返ることで、自分の行動と成功とを相互に結びつけるのだ。行動に照らして自分を判断するのは、あなた一人ではない。あなたの周囲の人たちもみな同じようにそうしている。

だが、行動そのものより、行動するときにあなたが感じた感情が大切だと言っているのだ。というのも、引き寄せの作用点はあなたがどう感じるかであり、もしあなたの行動が感情と調和しなければ、反生産的でなんら実質的な違いを生み出さないというのが、わたしたちの揺るぎない認識だからだ。

例えば、財産をたくさん持っている人や、社会的な地位を築いた人に比べ、自分が無能だとか、不運だと感じているとしよう。そうした強烈な欠如感を補ってくれるだけの行動はこの世に存在しない。だから、あなたは努力して長時間一生懸命働いても、大切なものは得られないし、これといった進展を見ることもできない。ところが、たいした仕事——行動——をしていないように見えるのに、羽振りのいい人たちがいる。

あなたが望むものを肯定的に考えることによって引き起こされる行動は、常に喜びに満ちた行動となる。それが欠けているという否定的な思いによって開始される行動は、決して楽しい行動とはならない。

いずれの場合にも行動は起こるが、結果には大きな違いがある。行動している間に経験する喜びにも、大きな違いがある。不幸な旅をして幸福な結果を得ることはできない。それは法則に反する。ただそれだけなのだ。

欠乏感から行動する人たち

多くの人が他人を動機づけようとするのをわたしたちは観察してきた。よくある光景だから、あなたもきっと見たことがあるだろう。従業員を動機づけようとする雇用主、子どもを動機づけようとする親、生徒を動機づけようとする先生、消費者を動機づけようとするセールスマン。大抵の場合、彼らはあなたに否定的なシナリオを与え、それを埋め合わせるため、あるいは回避するために行動を促す。雇い主はあなたに指針とノルマを与える。それらの期限を守れなければ、仕事をやめさせられるとあなたは判断する。それゆえ、成長や達成への熱意からではなく、クビになるのを避けるためにあなたは行動する。もし仕事がクビになったら、生活できるだけのお金がもらえなくなる。お金がなければ、債権者に責めたてられるだろうし、家族が苦しむだろう。こうして否定的なシナリオがどんどん膨らんでいき、あなたは囚われの感情や自由の喪失感を抱くようになる。言われたとおりに行動しないと、終わりのない困難が待ち構えているから、あなたは行動するのだ。惨めな気持ちを抱えて。

あなたの両親は特別の人生哲学を持っている。それは彼らの親が信じていたことと個人的に経験したこととの組み合わせからなっている。大抵の場合、その二つはそんなにかけ離れていない。彼らが現在、あなたに対し抱いている期待の種を植え付けたのは、彼らの親だから。あなたが生まれると、彼らは自分たちの進化する人生哲学をあなたに教え始める。彼らはあなたの行動に期待を抱く。そして、あなたは幼いうちに、親が何を期待しているか知るようになる。

あなたは自分のなかに、調和を求める強い探求心を持っているが、あなたの親はそれを理解していない。ほとんどの場合親は、あなたを放置すると悪事に染まるだろうと思い込んでいる。それゆえ、あなたを悪事や有害な影響から守るという意図を持って、行動の指針やルールを提供する。そのルールを破ると、あなたは仕返しを受ける。親は怒るか、失望する。あなたに罰を加えることもある。そのため、あなたは行動を修正してルールに従う。少なくとも、従っていると親に信じ込ませる。調和を求める前向きな探求心からそうするのではない。そうしないと否定的な反応にさらされることがわかっているから、そうするのだ。あなたは実際に行動を起こすが、楽しいから行動するのではない。

教育システムは、あなたがたが従うべき基準を作り上げた。教育システムを作った人たちは研究や分析を行った末に、こう結論したのだ。「ここに行動のルールがある。あなたがたはそのルールに従うことを求められている」あなたは成長や学習への強い意欲を持っていて、教室が成長への渇きを癒す安息所であることを発見する。だが、いつのまにか学習意欲を見失い、あなたに向かって、「これをしなければ、罰せられるだろう。あれをしなければ、卒業できないだろう。これをしなければ、成功しないだろう」というシステムに取り込まれる。そのため、あなたは比較的早いうちに、冒険や成長を求める若さの感覚を失い、行動に走る。自由や成長や冒険を求める自然な感覚からではない。行動しないと非難されることを知っているから、そうするのだ。

セールスマンはあなたに買ってもらいたいものを持っている。彼は自分の製品の価値を知っているが、あなたが彼の製品の価値を見抜くほど賢いとは信じない。だからこそ、彼は、自分の製品を買わないことでどれだけ損をするかを指摘することに、やっきになるのだ。その口車に乗せられてあなたは「イエス」と言う。買う物の価値を明確に自覚するからではない。セールスマンが口をすっぱくして指摘する「損」を避けたいからだ。

もちろんこうした例は、何ページにもわたってあげつらうことができる。「欠落」に注意を向けて行動（または反応）する人がたくさんいるからだ。これらの例は他人によって刺激されたあなたの行動を指しているが、あなたの人生経験のなかには、欠如感だけで行動が生み出される例もたくさんある。

いじめっ子は自分自身に対する評価が著しく欠けているのが普通である。彼らは強くなりたいのに、弱々しく感じる。あるいは、パワフルでありたいのに、無力に感じる。だから、否定的な欠乏感から、自分自身の弱さの感情を補おうとして行動するのだ。これまで行われてきたほぼすべての戦争には、自分の弱さの感覚にしつこくつきまとわれ、自分が弱くないことを証明しようとする扇動者がいる。

一見、自信を持っているかに見える人物が、しばしばまったくそうではないことに気づいたことがないだろうか？　彼らは自分の欠乏感を埋めるために、過剰な行動に走るが、気持ちは一向に晴れない。

子どもや妻の人生をコントロールしたがる支配的な父親や夫の例はたくさんある。

大抵の場合、支配者の顔の背後には、とても不安で無力感を感じている男がいる。しかし、どんなに支配しても、自分が強くなったとは感じられない。法則に反するからだ。否定的な観点や欠乏感から行動を起こすと、自分が感じている欠乏感を強めることにしかならない。

校庭にいるいじめっ子、支配的な父親、好戦的な国の指導者の背後には、自分自身の力を感じたくてたまらないのに、いまだにその方法を見つけられない人間がいる。彼は自分よりも弱い他人を支配すれば、自分の強さを感じられるだろうと信じる。ところが、自分自身の弱さを拡大するだけなのだ。そのため、いじめも支配も戦争も、本人が死ぬまで続くことになる。

だが、彼が必死に求めるパワーや力を、既に彼は持っているのだ。彼の弱さは幻想にすぎないからだ。彼は褒めるより批判すること、構築することより壊すことに多くの時間を費やす環境の産物である。事実、彼は安心より不安を多く感じる人間の集合意識の産物なのだ。それゆえ彼もまた、周囲の不安を吸収せざるを得ない。往々にしてそのような人間は、不安ゆえに支配的な親や教師に育てられる。もちろん、親や教師は子どもを支配することによって、自分の強さを感じることはできないが、不安と支配のサイクルを後世に受け渡し、延々と同じことが繰り返される。

あなたは健康でありたい、安全でありたい、成功したい、強くなりたいという強烈な願望を持っている。そうした願望は、それらの要素が「欠落」していることに注目することによって生み出される。あなたのなかに強い願望があるのは、あなたがより広い視点から、自分は健康で、安全で、成功しており、強いということを認めているからにほかならない。

ほとんどの人は自分の健康、安全、成功、強さを証明する必要があると信じているが、そんな必要はない。実際、そのようなことを証明しようとすると、裏目に出て、健康を損なったり、危険な目に遭ったりするのが普通なのだ。より広い内なる視点から見れば、あなたは健康で、安全で、成功しており、強いのだ。それ以外のことはすべて幻想である。あなたの物質的な思考や信念によって生み出された幻想なのだ。

物的証拠はあなたが生み出している

物質世界の友人たちにとって、明らかな兆候がある病気を幻想と見なすのは難しいかもしれない。貧困、不安、不幸な人間関係、あるいは世の中の出来事が幻想だということを理解するのも簡単ではないだろう。わたしたちが「幻想」という言葉で意味しようとしていることを理解するには、一歩下がって、広い視点から物事を見てみる必要がある。

あなたが肉体と血と骨という物質的な視点からしか自分自身を見られなければ、人生へのアプローチはすべて物質的なものにならざるを得ない。その場合、視点が限定されるため、あなたは物的証拠を過大評価する傾向がある。

証拠そのもの――あなたが今、自分の無力感を立証しようとしている証拠――があなた自身によって生み出されたものだということを、あなたは理解していない。つまり、あなたは無力なのではなく、力を持っている、ということだ。例えば、あなたは病気の証拠を見て、それに注目し、ネガティブな感情を抱くことによって、それを永続化させる。

一歩後ろに下がってより広い視点から見れば、自分が物質的な身体より広いレベルで存在しており、人生が異なって見えることを悟るだろう。そのときあなたは、真の自己発見の旅に乗り出すことになる。

自分が物質を超えた創造的エネルギーであることを、あなたは発見するだろう。さらに、肉体と骨と血があなたのなかの創造的エネルギーの流れに敏感に反応することや、自分はその創造的エネルギーのディレクターになれるし、実際にこれまでずっとディレクターだったことを理解し始めるだろう。

あなたの身体、周囲にいる人々、あなたを取り巻くすべての物が、創造的エネルギーの活用の仕方によって、引き寄せられたり、拒絶されたりしていることを、あなたは理解するだろう。

さらに追求すれば、自分が意識的な思考を通して、その創造的エネルギーに輪郭を与えていることがわかるようになるだろう。そのとき、自分の人生経験をコントロールしているのは自分であることがわかり、周囲の世界を脅威に感じることはなくなるだろう。自分は病気の犠牲者ではなく、病気もまた創造的エネルギーの活用法の一つだということもわかるだろう。文字どおり、あなたがそれを思考（あるいは期待）によって生み出したのだ。

物的証拠は歴然としているように思え、多くの人がその価値を主張する。だが、すべては幻想にすぎない。なぜなら、それは物質的な次元でのみ起こっていることだから。そのことをあなたはきっと理解するだろう。

無防備だという感覚や悪いことが起こるのではないかという予感が、悪いことを引き起こす引き金になる。危ういという感情が、危険な出来事という物的証拠を生み出すのだ。物質的存在であるあなたは、過去に起こった悪い出来事に注目する。その「証拠」を積み上げて、自分の意に反して活用し、否定的な予感をどんどん膨らませていく。代わりに、実際に悪い出来事を引き起こしたもの――否定的な予感を伴った思考と感情――に注目すれば、物的証拠はそれほど大きくなることはないだろう。以前には自分を脅かすものに思えたそれを、あなたは自分の思考の物質的現れにすぎないものと見なすだろう。

もしあなたが物的証拠を招き寄せたのであれば、入ってきたのと同じ入り口から、それを出ていかせることができるはずだ。それはあなたの思考と感情によって入ってきたのだ。あなたの思考を変えれば、感情も変わり、それはあなたから去っていくだろう。

行動を基盤とする物質的視点から見れば、物質的な創造（あるいは証拠）は、あなたの信念体系のなかで必要以上に大きなウェイトを占める。だが、その証拠は思考から生み出されたものにすぎない。だから、思考を変えれば、消滅するだろう。

最も懸念される病気でさえ、あなたがそれに注意することを完全にやめれば、消え去るだろう。あなたは思考と感情を通してそれを引き寄せたのだ。だから、その思考と感情を手放せば、病気も手放すことができる。ただし、病気に注目せずにいるというのは簡単なことではない。そんなときには、自分の欲求と調和するあなたの側面に焦点を当てればいいのだ。

魔法の都市にできた穴

一つの魔法の都市を想像してほしい。たった16キロ四方の小さな街だが、至るところに美しい場所や興味深い場所がある。行きたいところにはどこにでも効率的に連れて行ってくれる網の目状の通りと大通りによって緊密に結ばれている。どこにでも十分な駐車スペースもある。だが、その都市にはたった一つ完璧でないところがある。6番街という通りに深い穴が開いているのだ。

論理的に考えれば、あなたは驚くべき都市の完璧さを知っているので、一つのちっぽけな穴などほとんど気にかけないだろうと思う。ところが、わたしたちの観察によると、あなたはその穴に気づくばかりか、法外な注意を向けるのだ。それを見て不平をこぼし、それについて手紙を書き、友人たちに話し、文字どおり都市機能が麻痺するまで大げさに騒ぎ立てるのだ。

一人の女性が毎年恒例の身体検査に行き、異常がないかどうかを医師に検査してもらう。何年も彼女を検査してきた医師は、小さな腫瘍を発見する。医師にそう告げられた彼女は自分の身体を作り上げている素晴らしい「幹線道路」を見失い、腫瘍という「穴」に囚われ、しまいに「都市機能」を麻痺させてしまう。

わたしたちはより広い視野からそうした傾向を見、著しい不均衡があることを自覚する。彼女のなかでは、病気より健康のほうがはるかに勝っているが、病気への注意が病気を悪化させているのだ。

あらゆる存在領域に、あなたの意図に調和するものと、調和しないものとがある。「すべてであるもの」に肯定的側面と否定的側面があるのだ。

なんらかの否定的な側面に注意を向けると、あなたの「内なる存在」は自動的にネガティブな感情をもたらす。否定的な側面に注意を向けることで、あなたは自分の望むこと——あるいは肯定的なこと——に抵抗するからだ。

あなたは思考を通して、否定的側面を近くに引き寄せる。また、習慣を通して、それらに集中し続け、実際に物質的な兆候——手に触れられる何か——となって現れるまでやめない。そして、兆候が現れると言う。「この物的証拠を見てください！　歴然としていて、否定できません！」わたしたちはこう答える。「否定してはならない。否定すれば、依然として認めることになり、引き寄せることをやめないからだ。否定する代わりに無視しなさい。何かほかのことに注意を向けるのだ。否定的な証拠から注意をそらせば、去っていくだろう。それが法則なのだ！」

あなたは物的な証拠を重視し、自分の人生のなかできわめて重要な場所を与える。そうすることで、それが真に属するところを軽視するのだ。

物的な証拠はあなたの思考と感情から生まれる。だから、自分の思考と感情を重視してもらいたい。ネガティブな感情を覚えているときにはいつでも、自分が欲していない何かや、自分が欲するものの欠如について考えているのだ。そして、物的証拠を生み出す途上にいるのだ。

「それが起こるのはわかっていた」と、あなたはひんぱんに口にする。それに対して、「本当に、あなたにはわかっていたのだ」とわたしたちは言う。「起こったこと」は、あなたの思考と感情によって引き起こされたからだ。

意図的な創造者としてのあなたの仕事は、「すること」でも、「行動すること」でもない。物的証拠を振り回すことでもない。心地よい感情の座を認識し、維持することである。幸福感、高揚感、愛、平和、情熱、勝利、健康といった感情の居場所を見つけ、意図的にその場所に自分自身をとどまらせることなのだ。

心地よい場所に居続ければ、心地よい状態がどんどん引き寄せられてきて、あなたはさらに心地よく感じるようになるだろう。そして、その感情が他人のなかにも浸透していくだろう。

14 肯定的側面の本

ネガティブな感情から行動すると悪い出来事を引き寄せる

わたしたちのアドバイスを求める友人たちの多くは、否定的な経験を事細かに話してくれる。話題は実に多岐にわたっている。彼らは窮状を訴えたあと、わたしたちによくこう尋ねる。「この関係から足を洗うべきでしょうか?」「この仕事をやめて、他の仕事を探すべきでしょうか?」関係から足を洗うことや、転職することが、今いる否定的な場所から抜け出す一つの方法であることに、わたしたちはしばしば同意する。いたくないところから物理的に自分を引き離せば、直接的な慰めにはなり得る。だが、物理的に行動するだけでは十分ではない。あなたをこの否定的なつらい地点に連れてきたのは、物理的な行動ではなく、あなたの思考と感情なのだから。

そのような人たちにわたしたちはよくこう言う。「否定的な面があるからという理由で、その関係から身を引くというなら、この街からも出ていったほうがいいと指摘すべきだろう。この街にも探せば否定的な面があるからだ。さらに、この世からも立ち去ったほうがいいだろう。この世にも間違いなく否定的な面があるから」否定的な要素があるため、ある関係から立ち去ろうとすれば、あなたは立ち去ることや、走り去ることをやめられなくなり、ついには行き場を失うだろう。あらゆるもののなかに、肯定的な面と否定的な面があるからだ。そのことが選択の自由や成長を可能にし、喜びを大きくするのだ。

関係から足を洗う、仕事を変える、別の家に引っ越す、そうしたことが悪いと言っているのではない。否定的な面に囚われ、否定的な観点からそうした行動を起こすなと言っているのである。否定的な観点から行動を起こすと、必ず自分を引きずることになるからだ。ネガティブな感情を覚えているとき、あなたは同じ状態をもっと引き寄せるのだ。立ち去ることや、仕事をやめることを決断するとき、しばしばあなたは、自分の決断を弁護することや正当化することに終始し、嫌な気持ちに駆られる。そのような正当化や自己弁護は、好ましくないものを引き寄せる力に加担するだけで、あなたをさらに惨めな状態に追いやるだろう。

夫に不当な扱いを受けたと信じ離婚した女性は、自分が去った理由を他人に吹聴したがる。その結果、元の夫との関係とそれほど違わない別のひどい関係を往々にして引き寄せる。

雇い主に不当な扱いを受けたということで仕事をやめる人間は、自分を正当化するために、やめる理由を他人に話し、新しい仕事においても、別の不満だらけの関係を引き寄せる。

わたしたちが勧めるのは、去る決心や仕事をやめる決心をする前に、自分が体験していることの肯定的な側面に注意を向けなさい、ということだ。そうすれば、気分がよくなり、引き寄せの質を変えられるだろう。その結果、現状が大幅に改善され、去る理由がなくなることが往々にしてある。気に食わない側面から目をそらすと、必ずあなたの立場は好転する。

わたしたちの友人ジェリーとエスターは、わたしたちとのセッションを望む人々を集めるとき、さまざまなホテルを利用する。そのなかに、お客が到着するのを忘れがちなホテルが一軒あった。きちんと契約を取り交わし、到着日には確認の電話を入れるようにしていたが、それでも駄目だった。最近そのホテルを訪問したとき、またもやエスターは最後の最後まで、段取りをつける仕事に追いまくられる羽目になった。集いが始まるまで30分もないというのに、イスや水を用意させ、ビデオ掲示板で情報を得、ホテルの従業員を急き立てなければならなかった。集いが終わったあと、エスターは違うホテルにくら替えしたほうがいいのではないかと考えた。それも一つの可能な選択であることにわたしたちは同意した。だが、否定的な立場から決定を下すのをわたしたちは勧めなかった。否定的な立場から行動を起こし、嫌な気持ちを引きずったまま新しいホテルにくら替えすると、そこでも同じような状況を引き寄せやすいからだ。わたしたちの忠告を聞いて、エスターとジェリーは苦笑いした。そのホテルは、その街で二番目のホテルで、現在、考えているのとまったく同じ理由で、最初のホテルからくら替えしたからだ。

わたしたちは彼らに、新しいノートを買って、「肯定的側面の本」というタイトルをつけ、最初のページに、「オースティン市の○○○○ホテルの肯定的な側面」と書き、ホテルの肯定的な側面を書き出すよう勧めた。

エスターは早速、書き込みを始めた。「ここは美しい施設だ。ホテルの従業員は非常にフレンドリーである。駐車場も充実している。高速道路からのアクセスもいい。わたしたちの部屋はいつもきれいで清潔だ。サイズの異なるさまざまなミーティングルームがあって、わたしたちの多彩な要求を満たしてくれる。すてきなスイートルームをミーティングや休息のために使える」リストを完成させると、エスターはそのホテルに好感を持つようになり、どうしてくら替えしようとしたのかといぶかった。「肯定的な側面」に注意を向けることによって、一切の「否定的な側面」から注意を遮ったのだ。考えが変わると、彼女の気持ちも変わり、引き寄せの作用点も変わった。

あなたが「引き寄せの法則」により、注意を向けるものを引き寄せていること、そして、ネガティブな感情を覚えるとき、自分が欲するものに抵抗する場所にいることを理解すれば、自分を気持ちよくさせることに意図的に注意を向ける時間をとることの大切さがわかるようになるだろう。

「肯定的側面の本」を作る

このエクササイズは、意図的に肯定的なものを引き寄せる恒常的な場所を見いだす助けになるだろう。

新しいノートを1冊買う。表紙に太い文字で、「肯定的側面の本」と書く。この本の主な狙いは、心地のいい場所、すなわち肯定的なものを引き寄せる場所に、自分をすみやかに連れていくことにあるが、ほかにもたくさんの恩恵をもたらしてくれる。新旧さまざまなテーマで、肯定的な側面を日々書き込んでいけば、肯定的なバランスを保つ助けになるだろう。人生の一つの領域で肯定的な側面に目を向けられるようになれば、ほかの領域でもそれができるようになるだろう。あなたはほとんどの時間、いい気分で過ごすことになるので、ますますいいことがスムースにあなたの人生のなかに流れ込んでくるようになるだろう。あなたが求めていながらも、否定的な感情を呼び起こす考えを抱くために得られなかった多くのものが、あなたの人生にやすやすと流れ込んでくるだろう。人生における思考と感情のバランスが、主として否定的なものから肯定的なものに変わるだろう。世界の情勢やあなたの経済状態がどうであろうと、また、仕事の同僚や家族がどうであれ、あなたはより肯定的なバランスのなかにいる自分をすぐに見いだすだろう。そして、あなた自身の人生は「引き寄せの法則」によって、即座にその結果を示し始めるだろう。

この「肯定的側面の本」は、否定的なものを受け入れ、それを肯定的なものに変えるためにあるのではない。肯定的なものに注意を向ける機会を提供するものだ。肯定的なものに焦点を当てているとき、あなたは否定的なものに焦点を当てることができない。注意を引っ込めれば、否定的なものはあなたから去っていく。

各ページで新しいテーマを取り上げてもらいたい。自分から自然にあふれ出てくるものを書き出すのだ。努力してはならない。努力すると、実際には否定的に感じているものを、都合のいいように肯定的なものに変えようとするかもしれない。そんなことをすれば、否定的なものへの注意を強めるだけにすぎない。特定のテーマに関する思考がわいてこなくなったら、新しいページに移り、新しいテーマに取り組もう。毎日、朝の15分、これをやれば十分だ。

2日目、自分の書いたものを読み、考えが浮かんだら、付け加えてもらいたい。それをしている間、またそれをしたあと、どんなに心地よいか気をつけてもらいたい。

特定の人間に否定的感情を抱いていることに気づいたら、その人物専用のページを作ってもいいだろう。

なんらかの事柄、例えば十分なお金がない、十分な時間がない、するべき仕事が多すぎる、他人から十分な尊敬が得られないといったことにネガティブな感情を抱いていることに気づいたら、1ページを割いて、その特定の問題の肯定的な側面を探ってみよう。

すぐにあなたは気持ちが晴れ晴れしていくことに気づくだろう。あなたが書き出した特定の状況が即座に改善するだけではなく、まだ本に記されていない状況も改善するだろう。気持ちがよくなればなるほど、よいことをもっと引き寄せるようになるからだ。逆に、気分が滅入れば、嫌なことをもっと引き寄せることになる。

毎日、書いたものを読んで、付け加えたいことがあったら付け加え、それを丸々1週間続けてもらいたい。そして、週の終わりに、別のノートを買い求めよう。今や、あやはり表紙に、「肯定的側面の本」というタイトルをつけてもらいたい。今や、あなたはこの本を宝物と見なし始めているかもしれない。実際にそうなのだ。それは肯定的なものを引き寄せる場所に自分自身をとどまらせる鍵となるのだから。

あなたの住む世界は、褒めてくれる人より批判する人が多く、主として否定的なものに焦点を当てているが、あなたは、自分の感じ方をコントロールする方法を発見した。あなたの知っている人はほぼ全員、結果を恐れて行動する。それに対しあなたは、楽しいから行動する。

行動の動機は二つある。一つは、望みのものを得たい、望みの人間になりたいという肯定的なビジョン。そして、もう一つは、行動しない場合に押し付けられる否定的な結果を避けたいという願望だ。物質世界を眺めていると、大半の行動が否定的結果を避けるために行われているのがわかる。多くの人間が行動に駆られるのは、ワクワクする肯定的な目標を達成するためではない。行動しないと、否定的結果に見舞われると信じているから、行動するのだ。ほとんどの人間は、価値のある仕事をするという明確なビジョンを持って嬉々として会社に行くことがない。自分が何を望んでいるかはっきりさせていないから、喜んで行動することがないのだ。大抵の人間は、もし働かなかったらお金をもらえない、お金をもらえなければ、欲しいものが手に入らない、そう信じ切っているから働くのだ。

働かない場合に起こる否定的結果に囚われ、その結果を回避するために行動すれば、否定的結果を回避できるどころか、そうした結果を招き寄せる力に加担することになる。それが法則なのだ。

不幸な旅をして幸福な結末を迎えることはできない。否定的な結果に注目することによって動機がわいた場合、あなたは幸福な旅をすることができない。鍵になるポイントはこういうことだ。行動はあなたの創造的努力にほとんど貢献しない。あなたが得るもの、生み出すもの、そしてあなたが生きる人生に責任を負っているのは主としてあなたの感じ方なのだ。

多くの人が不毛な状態にいる自分に気づくのは、違いを生み出せるだけの行動ができないからだ。彼らは挑戦し、戦い、しつこく食い下がるが、物事は一向に改善されない。というのも、人生を創造する引き寄せの基盤そのものが、彼らの行動ではなく、行動するときの感じ方によって作られるからだ。

この世の人生の結果に肯定的な影響を与えたかったら、自分の感じ方に注意を注ぎ、心地よくなる方法を探してもらいたい。あなたの世界で、行動によって悪い感情を補うのは不可能だ。あなたがネガティブな感情を覚えるときに起こる否定的な引き寄せを補うだけの時間もない。またそれを補うだけのエネルギーをあなたは持っていない。だからこそ、「肯定的側面の本」の大切さを強調するのだ。意図的に探せば、気分をよくする方法はすぐに見つかるだろう。気分がよくなれば、いいと思えるものをさらに引き寄せるようになるだろう。

ネガティブな感情に囚われると、往々にしてあなたは他人を責めることで、それを正当化しようとする。言い訳をする理由を探すのだ。心の内側で、それが不当だと感づいているからだ。正当化しようとするときは常に、否定的な引き寄せに入っているといえる。

自分がなぜネガティブな感情を覚えているかを説明しようとするとき、あなたはそれに力を与えている。それから注意をそらすことによって、ネガティブな感情や気持ちを手放し、否定的なものを引き寄せるのをやめてもらいたい。自分を気持ちよくしてくれるものに注意を向け、気分を悪くするものに注意を向けるのをやめるのだ。

物質的な友人たちの多くは、どんな行動がこの創造のプロセスにあてはまるかを理解しようとする。確かに、あなたがたは物質的存在であり、行動が経験の重要な部分を占める。あなたがたは最も上手な時間の使い方は何かを常に決断している。「わたしは何をすべきだろう?」

あなたに行動から手を引かせようとする意図はない。行動が重要ではないと言っているのではないのだ。理解してもらいたいのは、行動がそれ自体では、それほど力を持たない、ということなのだ。ネガティブな感情を行動によって打ち消そうとしても、ほとんど効果がない。物質的な友人たちが行動を重視しているにもかかわらず、望みどおりの進展を見ないのはそのせいなのだ。

行動が肯定的な願望によって起こる場合、あなたの創造を拡大させる。そうした行動は気持ちがいい。それは喜んでなされる行動なのだ。しかし、あなたの行動が、行動しないときの否定的結果を恐れるための場合、気持ちよくは行われない。

あなた自身の経験に注意を払ってもらいたい。日中行動するとき、あなたは喜びを感じているだろうか？　それとも、しばしば憤りを感じているだろうか？　あなたは仕事をしながら楽しく心を弾ませているだろうか？　それとも、意欲をまったく感じることなく、時計を見ながら、嫌々仕事をしているだろうか？　あなたは微笑んでいるだろうか？　歌っているだろうか？　幸せに感じているだろうか？

行動するときには、否定的なイメージではなく、肯定的なイメージを持って行おう。自分を気持ちよくさせてくれるものに焦点を当てれば、喜びから行動している自分に気づくだろう。楽しそうに行動していると、あなたが望むものがますます多く人生に流れ込んでくるようになるだろう。ネガティブな感情で自分自身の行動を妨害していないからだ。

15 許容・可能にする法則

望まないものを打ち負かさなくていい

友よ、あなたがたは善の真なる探求者であり、自分の居場所を見いだしたいと切望している。にもかかわらず、あなたがたは、逆のことをしている。多くの場合、あなたがたは自分が何を望んでいるかを確実に知っている。ところがほとんどの場合、自分が望むものを手に入れるには、敵を打ち負かさなければならないと信じてしまっている。

あなたがたの世界には「貧困撲滅の戦い」「ドラッグに対する戦い」「ガンとの戦い」「エイズとの戦い」などがある。戦う対象は急速に増えつつある。大半の人は、自然な健康状態に注意を向けて健康な状態を引き寄せるのではなく、怖がって防御の姿勢を固持しようとする。貧困や病気に向かって、「いや、わたしのことは勘弁してくれ！」

と叫ぶのだ。

自分が望んでいないものを打ち負かせば、自分が望むものにたどり着けると多くの人が実際に信じている。それが法則に背くことを説明するために、わたしたちはやってきたのだ。

・あなたが防御する対象はあなたの経験になる
・あなたが心配する対象はあなたの経験になる
・あなたが備える対象はあなたの経験になる

人に対して防衛的で、不安を抱えている親が子どもをもうけ、他人を警戒するよう子どもに「善意の警告」をすると、自分の不安を子どもに受け渡すことになる。

あなたは病気に対して防衛する必要はない。健康はあなたの自然な状態だから。病気に対する防衛が、病気の原因なのだ。

あなたは貧困に対して防御する必要はない。豊かさがあなたの自然な状態だから。貧困に対する防御が貧困を生む原因なのだ。

あなたは「悪」に対して防御する必要はない。善はあなたの自然な状態だから。悪に対する防衛が悪を生み出す原因なのだ。

あなたは何か自分の望まないものに対し、緊張して警戒したり、おびえて神経質になったりするとき、それに対して思考を集中し、それに見合う感情を覚えることによって、警戒する当のものを引き寄せる。

大声で「ノー！」と言えば言うほど、引き寄せの力は強まる。自分の望まないものに対し防御や抵抗をすればするほど、それを強く自分のほうに引き寄せるようになる。事実、自分の望まないことに抗議すると、それに力を貸すことになる。自分が立っている否定的な立場を正当化すると、望みもしないその場所にとどまることを断言することになる。自分の身に起こったことで他人を責めると、その不愉快な立場にしっかりと自分を固定することになる。

この素晴らしい身体に宿ったときあなたが願っていた、楽しく実りある経験をしたかったら、それを望み、期待し、許容・可能にするだけでいいのだ。

あなたの願望の多くは十分に妥当なものである。あなたはこの世での経験の多くを、人生を探求し、好みを突き止めることに費やしてきた。だが、ほとんどの人間は、人生に幸運な出来事が起こるのを許容・可能にするのが下手だ。もちろん、あなたがたは許容・可能にしたいだろう。そして、いい出来事が自分の人生に起こるようなら、なんでもするだろう。

「引き寄せの法則」があなたの経験に永遠に影響を及ぼすこと、あなたが考え、感じることがすべて、引き寄せの作用点になることを思い出してもらいたい。

健康、豊かさ、安全、愛、そのほか、あなたが望むものをなんでも許容・可能にする、抵抗も制約もない立場に身を置きたいのなら、自分の願望を認め、幸せな境遇に恵まれるという意図を持って、くつろいでいるだけでいいのだ。

病気と戦うのではなく、リラックスして、自分の自然な健康を許容・可能にするのだ。

貧困や十分にお金がないことに抵抗して一生懸命働くのではなく、リラックスして、自分の自然な豊かさを許容・可能にするのだ。

自分が何を望んでいるかを突き止め、期待を持って嬉々としてそれが現実化するのを見守るのだ。

戦いも緊張もこれ以上必要はない。落胆も敗北も必要ない。喜びに満ちた着実な「なる」プロセスがあるだけなのだ。

「いい気分」になることが大切

「すべてであるもの」――あなたが知っているといないとにかかわらず、この壮大な宇宙に存在するすべてのもの――はつながっており、強力な「引き寄せの法則」に反応する。あなたが提供する（あるいは、受け取る）あらゆる思考は、それぞれ独自の波動を持っており、「引き寄せの法則」によって、同じ波動のものに引き寄せられる。

わたしたちの友人ジェリーは、直径1フィート（約30センチメートル）もの太いもやい綱で、大型船を桟橋に係留する話をしてくれた。そのもやい綱はあまりに重くてかさばるため、直接扱うことができず、太さの異なる何本かのロープをつなぎ合わせたものをそれにつなぎ、海水のなかから引き上げるというのだ。あなたの思考も同じような仕方でお互いに結びつく。あらゆる思考は最初、小さな思考から出発するが、あなたの心のなかにとどまっている時間が長くなるにつれ、次第に力をつけ、大きくなっていく。

あなたが人生において受け取り、経験しているもののすべては、思考に結びついた思考が思考とつながるプロセスを経て、あなたのところにやってくる。

エスターは門のところに立ってきらめく美しい空を眺め、小鳥たちの澄んだ鳴き声を聞き、大気中に漂う芳しい香りを嗅ぎ、肌を撫でる心地よい風を感じる心地いい体験をした。そのとき、彼女は肯定的な思考のロープをたぐり寄せることによって生じる劇的な結果を味わったのだ。気分がよくなることをしようと決断をすることによって、思考を引き寄せる思考を次々に引き寄せ、ついには、彼女の身体が心地よい状況を引き寄せる波動で振動したのだ。

ほとんどの人間はそうした微妙な思考をめぐらせることの大切さを認識していない。強力な「引き寄せの法則」を理解していないからだ。一つの思考がほかの思考を導き、それがまたほかの思考を導くといった感じで続いていき、最終的に、その思考が現実化する、ということがわかっていないのだ。

多くの人間が着る物、食べ物、住む場所、乗る車などに細心の注意を払うのに、どんな思考を自分に許容・可能にするかに関しては、まったく無頓着なことにわたしたちは気づいた。ほかの思考を振動させて引き寄せ、ついには物的証拠を生み出す思考にまったく注意を払おうとしないのだ。

あなたの願望と調和しないものの思考を受け取ると、必ずあなたは「内なる存在」から否定的な警告を受け取る。ところが、それを警告として受け止め、意図的に思考を変える人間はほとんどいない。そのため、最終的に自分が望まない経験を引き寄せるわけだ。

自分自身の人生を楽しくコントロールするには、いくつか簡単なことを理解するだけでいい。

・自分が自分の経験の創造者であることを受け入れる
・あなたが思い浮かべる思考のパワーと重要性を理解する

・自分自身の「内なる存在」との絶対的なつながりを受け入れる
・あなたの抱く感情が「内なる存在」からの指針であることを理解する
・「いい気分」でいることより重要なことはないと決心する

実際に、本書を読んで、「いい気分」になることが偉大な価値を持つことを理解すれば、楽しい実りある人生を送るために必要なことをすべて受け取ったことになる。というのも、自分がどう感じているかを認識することは、より広い視点から自分に送られてくる指針を認識することだからだ。

あなたに幸福感をもたらすもののほうへ、思考、言葉、行動を注意深く導いていけば、「内なる存在」の指針に従うことになるだろう。

一度きりのこの世の人生においてさえ、いろいろな話題について考え、さまざまな人生経験を積んできたあなたは、きわめて複雑な存在になっている。物質的な身体に宿った日以来、あなたはいわば肯定的なロープと否定的なロープの両方を引っ張ってきた。今日、あなたが生きているのは、その「引き」のバランスが保たれているせいだ。とはいえ、あなたは極端な思考に走る癖を培ってきたので、ある話題にちょっと触れただけで、簡単に悪循環に陥ってしまう。いくつかの物事に関しては、過敏な反応を示してきた。ときにあなたは、望まない物事から自分自身を守ろうとし、かなり防衛的な姿勢をとることもある。

幸せになるために、自分の心のなかにあるものをすべて分析する必要はない。「なぜ、そんなものがあるのか」などと自分を責めたり、他人を責めたりしなくていいのだ。幸せな状態を知りたいという意図を明確に示し、自分が価値ある人間だという気持ちがわき上がってくるのを願えばいいのだ。そのうえで、あらゆる角度から自分自身を見つめ、善良さや価値の証を探してもらいたい。幸せを呼び込むには、自分自身のなかに愛すべき根拠があることを信じなければならない。信じれば、強力な「引き寄せの法則」によって、それらの根拠が成長し、必ず宇宙の隅々にまで行き渡るだろう。そうわたしたちが確約する。

「不足」「欠如」に焦点を当てない

あなたが自分自身や他人、あるいは何かを見て、そこに「不足」や「欠如」を見るとき、きわめて特殊な波動で振動する思考を送り出している。「不足」や「欠如」に焦点を当てたときに感じるネガティブな感情は、あなた自身の「内なる存在」がそれらの思考と共鳴していないことを示している。ネガティブな感情を感じること自体が、一時的に偉大な内的パワーから切り離されていることを意味する。そのような場合、

「転換のプロセス」を活用すれば、望んでいるものが「欠けている」という思いを、「ある」という思いに変えることができる。次々に思考を引き寄せる思考に焦点を当てれば、あなたの波動は「内なる存在」と調和するものに変わり、ネガティブな感情が消滅して、ポジティブな感情に取って代わるだろう。ポジティブな感情は、あなたがより広い視野を持つ場所に再び戻ったことを示している。

望んでいるものが「ない」ことに焦点を当てると、あなたの思考は低周波で振動することになり、自分自身の「内なる存在」から離れる。それはまた、「内なる存在」からのとうとうたるエネルギーの流れを制限することにもつながる。あなたの内部で発生するあらゆる病気の原因はそのことにあるのだ。血液や酸素の流れを制限すると、身体が否定的に反応するように、純粋で肯定的なエネルギーの流れを制限すると、身体は否定的に反応するのだ。

自分自身の人生を眺め、健康が損なわれていることや富が不足していること、有意義な人間関係に恵まれていないこと、そのほか、自分が望んでいるものが「ない」ことに気づいたら、そのような「欠如」や「不足」を招いている理由はたった一つしかないと思ってもらいたい。あなたは「内なる存在」と調和しない思考を選んだ。そして、文字どおり振動し、現在得ているものを引き寄せている、ということだ。

気持ちがよくなる理由を探す

あなたが自分自身を批判する考えを抱くと、「内なる存在」はそれに同意しない。あなたが才能のある創造的で善良な素晴らしい人間であることを知っているからだ。あなたが他人に対して批判的な考えを抱くと、「内なる存在」はそれに同意しない。この宇宙が完璧にバランスのとれた状態で存在しており、どんな思考や経験も許されることを理解しているからだ。あなたの賢い「内なる存在」は、選ばないという選択があることを十分に承知しているが、望んでいないものに注意を向ければ、それを選んでしまうことを知っているので、望んでいないものからは注意を引っ込めるのだ。

あなたが病気や怪物や自分が望んでいないことを恐れたり、警戒したりすると、「内なる存在」はそれに同調しない。あるものに注意を向けるのは、それを招き寄せることだということを理解しているからだ。「内なる存在」は文字どおり、幸せな場所につかっている。警戒や恐れの考えは「内なる存在」にとってまったく無縁のものなのだ。

毎晩ベッドに横たわるとき、「内なる存在」を認め、それとのつながりを認識してもらいたい。まどろむ前に数分間、ベッドに横たわり、自分自身の幸せの息吹を浴びてもらいたいのだ。「内なる存在」はあなたを純粋で肯定的な力強いエネルギーで満たすだろう。愛情にあふれた「内なる存在」の働きによって、身体が完全にリフレッシュされるのを許すと決意してもらいたい。そして新鮮で幸せな気分で目覚めると心に決めてもらいたい。

朝、目覚めたら、たった今身体に戻ったばかりだということを認め、即座に次のような明確な目標を持とう。「今日の第一目標は、自分を気持ちよくしてくれるものを探すこと」気持ちがよければ、肯定的なものを引き寄せる場所にいられるからだ。気持ちよく感じていれば、あなたはより広い視点やより大きな意図と完全に同調しており、自分にとって好ましいものだけが訪れるようになる。

気持ちがよくなる理由を探すと決断すれば、あなたは肯定的な思考のロープを引き始め、次々にアイデアがわいてくるだろう。古い思考習慣が忍び込んできたり、無意識に古い否定的な思考のロープを引っ張ったりしたときでも、素早く自分がしていることに気づき、再び気持ちがよくなる理由を探して、否定的なロープを手放すだろう。その結果、あなたのなかの思考のバランスは肯定的なものとなり、壮大な「内なる存在」とのつながりが強化され、明確になるだろう。

物質的なあなたと「内なる存在」がしっかりつながることを許容・可能にすれば、あなたの喜びのレベルは跳ね上がるだろう。また、あなたの望むものが容易に人生に流れ込んでくるようになり、望まないものは人生から姿を消すだろう。あなたの強力な視点から見るこの世界は、実に輝かしい場所になるだろう。

この身体へと宿った日がそうだったように、あなたは毎朝目覚めるとき、文字どおり身体へと舞い戻る。目を開けたら、しばらくベッドに横たわったまま、幸せの息吹を浴びてもらいたい。横たわったまま、自分を心地よくしてくれているものを探すのだ。ほどよくバネのきいたベッドの心地よさ、身体の快い感覚、肌に触れるシーツの官能的な触感などを感じ取ってもらいたい。それから、身体の隅々にまで行き渡る血液の流れを感じ取り、日々、成長する素晴らしい身体の働きを畏敬の念を持って感じ取ってもらいたい。そして最後に、深呼吸を2回し、身体が新たな日を迎えて楽しそうに反応するのを感じ取ろう。

今朝、目覚めて身体感覚を完全に取り戻したとき、あなたは文字どおり、新しい始まりを体験するのだ。あなたの前途を左右できるのは、あなたの現在の物の見方だけなのだ。

以上はわたしたちが理解するにいたった、人生に強烈な作用を及ぼしうるいくつかの物事である。わたしたちの言葉を読んで、あなたの物の見方は劇的に変わっただろうか？　それとも、微妙に変化しただろうか？　その違いに注意しながら、再び読み返し、見えない次元を理解することの快感にひたってほしい。

Part2

エイブラハムとのQ&Aセッション

Q&Aの前に

このあとに紹介するのは、エイブラハムとのグループセッションの記録である。読みやすくするため、編集してある。セッションの参加者は、主としてエイブラハムの情報を個人的な人生経験に取り入れたいと願っている人たちだ。記録の一部を本書に収めたのは、参加者からの質問やコメントに答えるときに、エイブラハムが、本書のＰａｒｔ１で述べている概念をどのように使っているかを「ライブ」で伝えたかったからにほかならない。

わたしたちはよく言ったものだ。「彼らに話してやろうとしていることを話してやりなさい。それから、彼らに話してやりなさい。それから、彼らに話してやったことを話してやりなさい」と。言葉がある経験にスポットライトを浴びせ、その経験から、知の光が灯る前に、わたしたちは新しい概念をさまざまな方法で聞く必要があるのだ。

才気あふれた疲れを知らぬ教師たちであるエイブラハムは、わかりやすいシンプルな教えの要点を次々に披露し、わたしたちを自己発見の道へと導いていく。と同時に、次から次に新しい考え方や物の見方を提示し、わたしたちの個人的な経験にもあてはめられる「宇宙の法則」が明瞭に見渡せる地点に連れて行ってくれる。その結果、わたしたちは望みのものを引き寄せることを邪魔する習慣、思考、他人からのネガティブな影響などを、意のままにほかの習慣や思考で取って代わらせることができるようになる。エイブラハムの教えの基本を日々の生活パターンに組み込めば組み込むほど、わたしたちは多くの学習の機会に恵まれるようになり、さまざまな楽しみを自由に意識的に享受できるようになる。

多くの人が電話でエイブラハムとおしゃべりをする。週末に行うエイブラハムのワークショップにも、大勢の人が参加する。そして、わたしたちと直接面識のない人で、エイブラハムのことを知っている方がどんどん増えている。そういう人たちはあちこちの大陸に散らばっており、わたしたちが書いた本を読んだり、どんどん進化するエイブラハムの教えの録音を聴いたりしている。わたしたちはもはや、読者からの手紙や電話に迅速に答えることができないけれど、あなたがたの評価や質問、アイデアやお金による貢献、さらにはこの体験を広める助けになる紹介などに深く感謝していることを知っていただきたい。

心を込めて　1991年　ジェリー&エスター・ヒックス

グループセッションでの質問と答え

エイブラハム　こんばんは。

聴衆　こんばんは。

エイブラハム　お集まりいただいて、とてもうれしい。今宵《こよい》、エスターとエイブラハムの意図でこうして集まり、会釈を交わし合っているのは、あなたがたと一緒に人生を共同創造するためだ。あなたがためいめいが少し立ち止まって、今宵の目的をはっきりさせたらどうだろう？　この集まりで、あなたが最も望んでいることはなんだろう？　答えに正しいも間違いもない。それぞれの方が独自の個人的理由でここに集まっているのだから。これから起ころうとしていることに、わたしたちはワクワクしている。あなたがたの真剣さが感じられるからだ。

あなたがたの願いのパワーが感じられる。セッションを進めていくうちに、あなたがたも、わたしたちの願いのパワーを感じるようになるかもしれない。あなたはなぜここにいるのか？　この物質世界での経験とはなんなのか？　どうすれば、「宇宙の法則」を意図的に適用することを通して、自分独自の満足のいく人生経験を意図的に創造することができるのか？

わたしたちが話し合えることはとてもたくさんある。だが、多くの問題で、わたしたちは同じような地点に舞い戻ることになるだろう。物質世界の一部の友人は、わたしたちがたった一つの答えしか持っておらず、それをさまざまな方法で言っているだけだと本気で信じている。それはあながち的はずれではない。わたしたちは二、三のきわめて基本的でシンプルな、常に働いている強力な法則を理解しているからだ。それらの法則を理解し、自分の経験の一部にどうあてはめるかがわかるようになれば、あなたは自分のするどんなことにもその知識を重ね合わせ、あらゆる分野で成功を収めることができるだろう。

結局、人生は思ったほど複雑ではないことが判明するのだ。そのとき、あなたは自分がここにいる理由を本当の意味で理解し始める。自分が何を望んでいるかを絶え間なく決断し、願望実現に向けて「宇宙の法則」を働かせること、それが、あなたがここにいる理由なのだ。

いくつかの神話を一掃するのがわたしたちの望みだ。あなたがたの信念を変えたいとは思っていない。あなたがたが信じるもので、わたしたちが不適切だと見なすものは何もない。あなたがたがまだ信じていないもので、信じるように仕向けたいと思うものもない。あなたがたに自由を感じてもらいたいのだ。「宇宙の法則」を理解することを通して、あなたがたに自信を持ってもらいたいのだ。自分の力を感じ、自分が何を望んでいるかを、周囲に惑わされることなく決断してもらいたいのだよ。

この集いは真の意味において、人生を共同創造する集いだ。単なる質疑応答などではない。あなたがたの多くは、あらゆる疑問に対する答えがさらなる疑問を呼ぶことを既に理解している。それはずっと継続していくもので、終わることはない。だからわたしたちは、あなたがたの疑問を晴らすためにここにいるという印象を与えたくはない。わたしたちは思考を刺激する者としてここにいるのだ。それがわたしたちを最もワクワクさせることなのだ。

わたしたちは、あなたがたが知らないあなたがたを知っている。あなたがたが創造者であることも知っている。あなたがたは裁かれるためにここにいるのではない。自分自身を他人に証明するためにいるのでもない。あなたがたは創造者としてここにいる。そしてわたしたちは、あなたがたがどのようにして人生を創造すればいいか理解するのを助けるためにここにいる。あなたがたが人生で経験しているすべてのことが、例外なくあなたがたによって、いやあなたがただけによってもたらされていることを理解してもらいたいのだ。

今宵、こうしてここに集まり、あなたがたのスケープゴートを残らず追放できることを願っている。すべての言い訳を捨て去り、自分の経験に影響を及ぼすのは自分だけだという自覚を持って、いわば裸で立ってもらいたいのだ。最初のうちは不快に感じるかもしれないが、すぐそれによって力づけられるだろう。

すべてのことがどのようにして自分の身に起こるかを正確に理解すれば、自分とは異なる他人があなたに何をしようが、あらゆる恐れからあなたは自由になる。そうすれば、あなたがこれまで恐れてきた経済、政治、母親、そのほかすべての影響力からも自由になる。そしてついには、自分の経験をコントロールするようになる。普通は楽しみながらコントロールできるのだ。

あなたは自由と成長と喜びを求める生き物だ。そのうちのどれがあなたのなかで一番強いかはわからない。どれ一つとしてほかのものがなくては存在できない。あなたが自分の経験を支配する否定的な影響力を取り除かない限り、決して自由になれないことをわたしたちは知っている。思考をコントロールしない限り、否定的な影響力は取り除けないだろう。そして、思考をコントロールすることが可能で、重要なことだと認識するまで、思考をコントロールできるようにはならないだろう。それが、今夜、わたしたちが探ろうとしている全体のプロセスだ。

ここであなたがたに言っておきたい。あなたがたは、今夜、ここで起こることの創造者だということを。法則やプロセスについて語る場合、言葉はあなたがたにとって意味をなさないことがときどきある。教えてくれるのは言葉ではなく、人生経験だからだ。そこでわたしたちは、もしあなたがたが望むなら、毎日、あなたがたが思い悩んでいる現実の人生経験を例としてたくさん取り上げたい。あなたがたにとって重要なことについて語りたいのだ。あなたがたが望むものや望まないもの、これからやってくるものや、やってこないものについて語りたいのだ。そして、あなたがたが望んでいるものを受け取る最も明瞭な道を、わたしたちの視点から示してみたい。だから、自分が望んでいるものをなんでも話してもらいたい。心配はいらない。あなたがたの心の隙間にしっかりとわたしたちのメッセージを打ち込むつもりだから。どうかあなたがたの話を聞かせてほしい。

エイブラハムは何を望んでいるか？

ジェリー　あなたが何かを望んでいるとは思えません。あなたは達成したいことや成し遂げたいことが何かあるんですか？　本を書くことや、セッションをやることに興味があるようには思えません。もしそれがわたしたちのためでなかったら、何もやり遂げられないんじゃないですか？（聴衆：笑）

エイブラハム　いい点を突いているね。物質世界の存在であるあなたがたの望みの大半は、「欠けている」という立場から抱かれる。だが、わたしたちは「欠けているものなど何もない」と思っている。そんなわたしたちと交流するわけだから、わたしたちが何を望んでいるか、あなたがたにわかるわけがない。だが、わたしたちだって望みを持っているのだ。なんなら、リストアップすることだってできる。簡単に紹介してみよう。

・あなたがたが、絶対的で一貫して強力な「宇宙の法則」をこの物質次元で表現するため、いつでも自由自在にさまざまな道を切り開けるようになってもらいたい
・お望みなら、あなたがためいめいがこれらの法則の絶対的かつ純粋な見本になってほしい
・宇宙にいる誰が見ても、あなたが法則の明瞭な見本であるようになってもらいたい
・「わたしには欲しいものがある。既に持っていると信じれば、それらは自分のものになる」とはっきり口に出して言えるようになってもらいたい。そして、世界中の人が「そんなことはわかりきっている！」と言えるようになってほし

い。ところで、既にそうなっているんではなかっただろうか？（笑） もっとそうなってほしいのだ

・宇宙のなかのすべての存在が、前向きな気持ちになる、心地よい場所を見つけられるようになってもらいたい。わたしたちが物質世界の人々と交流する本当の理由はそこにある。それが実は、誰もが探している天国だから

・ネガティブな感情を「ナビゲーションシステム」として活用できるようになってほしい。ネガティブな感情を覚えたら、「転換」の手法を使って、注意の焦点を素早く肯定的なものに切り替えるのだ。そうすれば、一瞬のネガティブな感情をターニングポイントにし、気分のいい状態にとどまっていられるだろう

・「ハイヒールの靴を履いて、熱い鋪道の上を歩くのではなく、ひんやりしてさわやかな小川の流れに（火照った、あるいは疲れた）足をひたせるようになって」もらいたい

・地球上のすべての人間が、いつの日か立ち上がって、「病気は心の状態である。細菌や遺伝とは関係ない。すべては思考の使い方にある」と言えるようになってもらいたい

・わたしたちが磁石のような存在であることを、すべての人が喜んで認めるようになってもらいたい。そうすれば、バリケードや壁を築いたり、監獄を建てたり、

戦争したりする理由がなくなるだろう。わたしたちがそれらを引き寄せていることを、誰もが明瞭に理解するからだ。わたしたちは他人がしていることを気にしなくなるだろう。彼らがしていることへの注意が、気になる事態を招き寄せていることをみんなが理解するからだ

そうなのだ！　わたしたちは、この地球上のすべての人が、自分の経験の生みの親であることを理解するときがやってくるのを期待しているのである。そうすれば、責めることも、裁くこともなくなり、至福の時代が訪れるだろう。

わたしたちはまた現在、完璧なバランスが存在していることを認める。言葉を変えて説明してあげよう。誰もそのような経験の仕方をしていないとしても、わたしたちは嘆かない。なぜなら、あなたがその気になりさえすれば、バランスをとることができる環境を持っているのを知っているからだ。それを自分の経験にするかどうかはあなた次第であって、他人や宇宙が関知することではない。だが、バランスをとれることをあなたに発見してもらいたいのだ。そのとき、「鳥肌が立つ」のをあなたは知っているだろうか？　それはあなたが認識したことをわたしたちが喜んでいる証なのだ。

だから、（楽しそうな口調でジェリーに向かって）わたしたちが何も欲していないとは二

度と言わせない。わたしたちは現在の存在状態の完璧さを認めることに喜びを感じている、ということなのだ。実際にわたしたちが明らかにしたいのは、あなたがたがどんな生活をしていようと——どんなに具合が悪くても、どんなに孤独であろうと、どんなに貧しくても——すべての人が現在、望むものをなんでも引き寄せられる完璧な場所にいるということなのだ。わたしたちもその点でなんら変わりはない。ただ自分が望むことだけに思考をとどめておくことに、少し慣れているだけなのだよ。

順応者は反抗したがる

質問者　わたしの創造のすべて、言い換えれば、わたしの人生のすべては、「反逆者」であることからきていると自分で気づいています。わたしは自由でありたい、より広い視野に立って物事を考えたいと切望していますが、わたしと同じように考える人はあまり見かけないといった感じです。長い間、世間に順応しようと努力してきたんです。ところが今では、怒りを抑えきれず、反抗することしかできません。みんなのやり方に同調するのが嫌なんです。

エイブラハム　あなたは何世紀もずっとそうしてきたんだ(笑)。この物質世界での経験にとって目新しいことではない。あなたはそれほどまでに自由の探求者なのだ。あなたは自分を反抗的だと言っているけど、そのようなレッテルを貼られやすいのは、主としてティーンエイジャーだ。ティーンエイジャーもあなたと同じようなことを感じている。彼らは必死に自由を求める。そして自由が抑えられると、反抗的になっている自分に気づくのだ。自由がないと感じると、自由への情熱が猛烈な勢いでわいてくるのだ。あなたはそれについてどうすればいいか知りたがっている、ということだね？

質問者　そうです。

エイブラハム　あまり長い間、そうしたネガティブな気持ちでいるのを許容・可能にするのは賢明ではない。あなたが何かをしようとするとき、それを妨げる者はいないことを理解すれば……つまり、あなたが順応しないからという理由で、一体、誰が不快に思うか、ということだ。誰が正しくて、誰が間違っているのだろう？　あなたが正しいのだろうか、それとも彼らのほうが正しいのだろうか？　それとも、あなたが間違っているのだろうか？　わたしたちが言いたいのは、他人のすることは、あなたのすることと一切関係ない、ということだ。

自分が絶対的に自由だと感じ、自分の行動に他人が関与していないことを理解すれば、自分を反抗的だと感じる理由はなくなるだろう。

では、全世界が一つのことを信じるとしたらどうだろう。そのような話題は一つもない。誰もが同意する話題は一つとしてないのだ。わたしたちはあなたがたの違いや多様性を楽しんでいるが、大半の物質世界の住人はそうではない。なぜなら、自分が望んでいることや、自分が信じているものの価値、恩恵、正当性、真実に不安を感じていて、それを妥当なものにするには、他人を説得しなければならないと思っているからだ。あなたは、自分の立場を正当化しようと躍起になっている人たちに満たされた世界のなかにいて、そこでの葛藤について語っているのだ。自分の立場を正当化しようとすることで、あなたは他人に批判的になっている自分に気づくのだよ。

あなたが住む物質社会には、次のような根強い考えがはびこっている。身体に宿ると、人はすぐに不安を覚える。物質世界が不安に感じられるからだ。自分の弱さを感じたくないあなたは、数に頼れば力を持てると思い、寄り集まって大きな集団を作る。そして、「誰もがわたしたちと同じように考え、信じるのは、素晴らしいことじゃないだろうか」と言い、あなたの政治、あなたの宗教、あなたの態度を広めたいと願う。

最近、ある人物が世界平和を促進する1枚の紙をエスターに手渡し、世界中の人が一日の特定の時間に少しの間立ち止まり、世界平和に思いをめぐらし、世界平和を祈念してほしいと述べた。それについてどう思うかエスターに尋ねられたので、わたしたちは答えた。「あなたは、もし自分が思えば、世界中の人たちが平和を望むという大それた推測をしている。また、自分が思い込めば、その平和が必然的なものになるという大それた推測をしている」平和になるのは素晴らしいことだし、戦争するよりましだと考えるのはいいことだ。それでもあなたは、他人に自分の意図を押し付ける能力を自分が持っていると見なしてはならない。そんなことをすれば、自由でなくなるからだ。もしあなたが他人に平和を押し付けるパワーを持っているなら、戦争の賛美者だって、あなたに戦争を押し付ける力を持っていることになる。そうなったら、誰も自由ではなくなってしまうではないか。

自由のなんたるかを知っている「内なる存在」としっかりつながり、自由を感じていれば、自分がしていることの正しさを他人に納得させなければならないという感覚は消え失せる。自分を正当化したいという欲求がなくなるのだ。実は、それが反抗的行動の正体なのだ。反抗とは自分の態度を正当化しようとする試みだということ。あなたが自由であれば、どのような状況の下でも、自分がなりたいものになれる自由を持っており、他人がそれをどう思うおうと実際に気にしない。彼らがあなたのすることをどう思おうが、それは彼らの問題であることがわかっているからだ。あなたとは無関係なのである。実際にそのように感じるようになれば、わたしたちが知っている最高の場所、許容・可能にする場所に入っていける。他人に認められなくても、自分を許容・可能にできる場所だ。嫌々ながら、他人が自分を認めてくれないのを許す、という忍耐について語っているのではない。あなたがしていることを他人が認めてくれなくても、まったくだいじょうぶであることを知っている、ということを言いたいのだ。あなたに対する他人の反応は、彼らがあなたを見て勝手に生み出しているものだからだ。そんな他人の感情に左右される必要はない。

何かについてネガティブな感情を覚えたら、思考を変え、ほかのことを考えるよう勧めたい。

自分に従うように世界が求めている気がしてネガティブな思いに駆られたら、一歩引き下がって、より広い自分を見つめてもらいたい。この問題が最も深刻になるのは、きわめて狭い箱のなか、つまり影響力が強い家族、教会、共同体という箱のなかにいるときだろう。そのような環境では、非難されないようにするため、従わざるを得ない気持ちになる。だが、小さな箱から一歩抜け出して、より広い視野から世界を見てみれば、たくさんの異なった人がいて、たくさんの異なったものを求めていることや、画一性を見いだすのが困難なことに気づく。世界の一部には、昆虫を食べる人々がいるのをご存じだろうか？　そんな話題には事欠かないが、いちいち引き合いに出す必要はないだろう。

つい話を広げてしまったが、要はより広い視野から見つめてもらいたい、ということだ。順応することにはまったくなんの価値もないことを理解してほしいのだ。さらに言うなら、画一的でなければならないという考えは、あなたが存在する理由に真っ向から対立する――完全に矛盾する――ことを理解してもらいたい。あなたがこの時期、この物質世界に誕生したのは、創造者である自分にとって、多様性が大きな強みであると見なしたからにほかならない。しかも、あなたは「内なる存在」とつながっており、創造が思考を通して行われることを知っている。だから、より多くの思考、より多くのアイデア、より豊富な信念、より多くの資料があるほうが好ましいのだ。つまり多様性が、創造するためのよりよい環境を整えてくれるのである。

より広い視野に立って物事を見るようになれば、何事にも脅かされないようになり、自分とは異なる望みを抱いている人を見ても、その違いを気持ちよく受け入れられるようになるだろう。ところで、あなたはなぜ脅かされていると感じるのだろう？　それは法則を理解していないからだ。

あなたが脅かされていると感じるのは、もし他人があなたの望みに反することをしたら、それがなんらかの形であなたの経験のなかに入り込んでくると信じているからだ。だが、あなたがそれに注意を向けさえしなければ、それがあなたの経験のなかに入り込んでくることはあり得ない。そうわたしたちは断言する。というのも、あなたは思考を通して経験を招き寄せるからだ。あなたが思考を通して望んでいないものを招き寄せると、「内なる存在」がそのことを警告するために必ず感情的な反応を生み出し、あなたはいい気持ちがしなくなる。それは、思考があなたのより大きな望みと調和していないことを示している。だから、考えるのをやめなければならない。だが、それが簡単にいかないのだ。それについて考えるなと言われると、あなたはどうするだろう？　あなたはそれについて考えないことを考える。だが依然として、「わたしたちが考えるなと言ったこと」について考えている。では、どうすればいいのだろう？何かほかのことについて考えればいいのだ。思考を停止することはできないが、ほかのことを考えることはできる。

「引き寄せの法則」は、思考を止めることを要求しない。何かについて考えないことに集中することはできない。考えるのをやめるのは難しいのだ。それについて考えないと決心すればするほど、それについて考えてしまうからだ。そのことを考えてほしい（聴衆：笑）。それでも、話題を変えることはできる。それが転換の術とよばれるものだ。転換の術は、望みのものに焦点を当てる真の方法なのだ。もっと何かお望みだろうか？

首の痛み

質問者　わたしは前向きな部分もあるんですが、そうでない部分もあることに気づいています。本当は、まったく新しい方法で物事をやりたいんです。いや、つまり、新しい創造エネルギーが自分のなかで沸騰しているのに、まだそれを恐れているんです。わたしの古い部分が邪魔し続けるんです。首の後ろにひどい痛みを感じます。それが自分にブレーキをかけていることと関係しているかどうかはわかりませんけど……。

エイブラハム　それはあなたの抵抗だね。

質問者　わたしを後ろに引っ張り続けるんです。ご存じのように、それについて考えないのは困難です。ひどく痛みますから。

エイブラハム　痛みに注意がいっているときに、それについて考えないのは難しい。だけど、痛みは知覚的なものだ。ほとんどの人はそのことをわかっていない。今、そこでつま先を噛《か》んで、同時に首がどう感じるかを意識してみてもらいたい（聴衆：笑）。

冗談はさておき、注意を何かほかのことに向けてほしいんだ。一度に一つのことにしか注意を向けられないからね。それを理解するのは大変重要なことだ。もし絶え間ない痛みを感じながら、この世界に注意を向けているとしたら、そのとき何が起こっているかというと、痛みを感じる程度に痛みに注意を奪われ、仕事に身を入れようとしてもなかなかはかどらない、ということなんだ。だが、ほかのことで頭のなかを満たすことができれば、痛みは消え去るだろう。

質問者 わたしのなかを流れるこの信じられないエネルギーに、思考の焦点を当て続ける、ということですね。そうすれば、わたしが求めていることのすべてが……ただ、転換し続ければいいんですね？

エイブラハム 自分のエネルギーの力を感じてほしいんだ。電気のように利用できる見えない世界のエネルギーが、自分のなかに入ってくるのを認識する、ということだ。壁のコンセントにプラグを差し込みさえすれば、どんな電気器具でも使えるだろう。それと同じで、思考を用いて、自分のなかに入ってくる強力なエネルギーに輪郭を与え、一つの方向に向かわせればいい。例えば、「わたしは赤い色の新車が欲しい。だけど、それは高すぎる」と言うとき、あなたはエネルギーをどうするだろう？ 二つの方向に分岐させるのだ。そして、どこに行き着くだろう？　どこにも行き着かない。あなたはそのことを大変上手に説明した。「新しい創造エネルギーが自分のなかで沸騰しているのに、まだそれを恐れているんです」と言ったのだ。だからわたしたちは、首が少し痛むのも不思議はないと言っている。なぜなら、あなたは自分自身に一種の綱引きをさせているのだから。

エスターがわたしたちのために語るようになった最初のころ……大変静かに座っていたものだった。大いにやる気はあったのだが、ちょっぴり恐れてもいたからだ。そのため、10分もすると非常に疲れてしまった。「エイブラハムはあまりに早くわたしを消耗させる」とよく言っていたものだ。身体が消耗し尽くしたかのように彼女は感じたのだ。実際、身体にエネルギーがなくなり、立っていることも、座っていることもできなかった。そのため、ベッドに直行した。わたしたちは10分間話をし、彼女はその朝、ベッドのなかで過ごした。そんなにも消耗してしまったのは、エネルギーの質が悪かったからではない。有害なエネルギーを浴びせられたからでもない。何か悪いことが起こったからでもない。彼女が二つの方向に向かったからだ。一方で望み、他方で望まなかったのだ。抵抗するのは非常に疲れる。今では、わたしたちが悪者ではなく、善良だと悟り、彼女はリラックスしている。また、わたしたちとのセッションが、彼女にとっても参加者にとってもためになる輝かしい経験であるということもわかっている。だから、すべてのことに「イエス」と言う。エネルギーが入っては出ていき、彼女は素晴らしい気分でいる。あなたもそうだろう。よろしい。ほかに質問は？

画一的文化のなかで変貌を遂げるにはどうすればいいか？

ジェリー　自分が変わることについて聞きたいんです。だいぶ前のこと、エスターに言いました。もっと早くに会っていたら、彼女とわたしは一緒にならなかっただろうって。デート相手に条件があったからです。背丈は60インチ（約152センチメートル）以下、体重は105ポンド（約47キログラム）以下じゃなければならなかったんです。なぜなら、アクロバットをしていたので、空中に投げ上げて、その身体を受け止める必要があったんです。ということで、わたしは実際のところいかなる「思考」にも興味がなく、体型にのみ興味があったんです。そんなとき、背の高いエスターに出会いました。彼女は背丈も体重もわたしの条件を超えていました。けれども、わたしが変わった生き方をしていることに興味を持ちました。わたしは、定職について安定した家庭を持ち、基本的に同じ場所で、近所の人と同じ政治信念を持って暮らすのをよしとする文化のなかで育ちました。ところが、そのような生き方に従わず、何年かの間に、18から20もの異なる職業を転々としていました。たくさんの変化を遂げてきたのです。それでわたしが聞きたいのは、どんな環境の下に生まれるにせよ、そこでの信念やルールに従って生きるのをよしとする文化のなかで暮らしながら、個人として変貌するのを許されるにはどうしたらいいか、ということなんです。

エイブラハム　非常に痛々しいことだ。ほとんどの人は社会的なルールにうまく対処していない。ルールが絶対的な自由の探求を妨げるからだ。大半の人間は社会のルールや法によって制約されていると感じると、自分のなかで葛藤してもがき、それを恨みに思い、自分の立場を擁護したり、正当化したりし始める。そのようにしてなおいっそうネガティブな感情を引き寄せるのだ。

わたしたちは、あなたにこう言いたい。あなたが知っていようがいまいが、また認めようが認めまいが、あなたは絶対的な自由のなかで暮らしているのだと。あなたが抱くすべての思考があなたの人生に表現されるのは、あなたが自由だからなのだ。それ以上の自由があるだろうか？　自由であるゆえに、あらゆる思考が人生のバランスに入り込むのだ。

法律はあなたに影響を及ぼさない。影響を及ぼすのは法律に対するあなたの注意である。近所の人はあなたに影響を及ぼさない。影響を及ぼすのは、近所の人たちに対するあなたの注意なのだ。そのことを認めることができれば、自分が絶対的に自由であることがわかるだろう。

画一的な生き方を求める社会では、自分が自由であることを知り、認識している人たちは、抵抗してもがき、大きな困難に直面するが、やがては自分が自由であることを認めるようになる。そして、大体は「気にしない」と言うようになる。

最終的にあなたは、一生懸命他人を喜ばせようとしなくなる境地にたどり着く。どんなにがんばってみたところで、他人を喜ばせることができないことを発見できるだけの知恵がつくからだ。あまりに多くの人たちがいて、あまりに多くの異なった意図があり、あまりに多くの異なった信念がありすぎるのだ。そんな状況ですべての人を喜ばせることなど不可能であることを悟ったあなたは、自分が望んでいるものを明らかにする術を磨くようになる。

シートベルト、法律、統計による評価

質問者　シートベルトに関してなんですが、自動車に乗ったら、シートベルトを締める必要があるという事実にわたしは疑問を感じています。そのことを、いろいろな折りにたくさんの人に言ったんですが、「こういう統計がある。ああいう統計がある」

と言うんです。わたしは統計にも疑問を感じています。わたしは個人です。単に、不幸な事態が100万人のほかの人々に起こったというだけで、わたしにも起こるとは限りません。

エイブラハム　よろしい。そのとおりだ。統計が計算に入れていないのは、フロントガラスを突き抜ける人が抱く意図だ。つまり、シートベルトに関しては、統計を云々するだけでは片づけられない問題がある、ということだ。

質問者　統計への注意が、例えば乳ガンが発生する確率のように、それまでになかった統計を生み出すということもあり得るのではないかと思うんですが。

エイブラハム　まったくそのとおりだ。どんなことでもそれに注意を向けていれば……なぜそんなにも多くのタンカーが石油を流出させると思う？　なぜそんなにも多くのひび割れが飛行機に起こると思う？　この偉大なるテクノロジーの時代に、なぜガンにかかる人が減るのではなく増えていると思う？　なぜエイズが蔓延しているのだろう？　それに注意を向けるからなのだよ。

質問者　シートベルトにはずっと悩まされてきました。わたしたちはこんな会話をします。冗談半分に言うんです。わたしがシートベルトを締めていないせいで、自動車事故で死ぬ運命にあったとしたら、「ほら見たことか」と言う人たちがいるだろうって。でもそんなことが起こるとは思えません。

エイブラハム　起こらないだろう。

質問者　シートベルトを信頼していない、というんじゃないんです。だけど、締めたことはありません。事実、シートベルトを締めていても亡くなったケースがあります。締めていない人ほど多くはありませんけど。

エイブラハム　正当化する必要はないんだ。

質問者　それは今ではわかっています。

エイブラハム　車から出られなかったために、溺れ死んだ人の話を聞いたことがある。あなたに考えてもらいたいのはこういうことだ。シートベルトを締めなければならないという法律を政治家が通過させたことに恨みを抱きながら、シートベルトを締めるたび、あなたは見えない世界のエネルギーをどのように使うだろう? シートベルを締めて恨みを感じるより、締めずに恨みを感じないほうがはるかにいい。あるいは、転換して、シートベルトを締めることを自分で決断するという方法もある。法律で決められているからシートベルトを締めるのではなく、自分の選択で締めるのだ。ジェリーとエスターは今日、選択の余地がない小さな車に乗っている。ドアを開けるとシートベルトの留め金が自然に外れ、座席に座ってドアを閉めると、シートベルトが自動的に固定されるようになっているのだ。

ジェリー　あれは空港で借りたものです。

質問者　わたしも経験したことがあります。本当におかしかった。2、3年前、事故を起こして、レンタカーを借りたんです。4マイル(6キロメートル強)ぐらい乗ったのかな、あの吸着性のベルトが胸にからみついてきたとき、とびっきり愉快だと思いましたよ。ただただ笑わずにはいられませんでした。あなたの言うとおり、選択の余地がないんです。わたしが言いたいのは、装着する必要があると感じれば装着するし、感じなければただ関心を持たない、ということなのです。

エイブラハム　わたしたちが言いたいのはこういうことだ。あなたの国には、あなたでさえ知らない法律がたくさんある。それらはなんの関心も引き寄せない。実際に、それらを気にする者は誰もいない。それらは成文化されているが、まったくあなたに影響を与えない。なぜかというと、あなたはそれらにまったく注意を払わないからだ。他方に、あなたが多大な注意を向けるがゆえにあなたに大きな影響を及ぼす法律がある。それらをすべて一つのバケツに投げ入れて、「わたしたちには法律がある。わたしに影響を与えるものもあれば、与えないものもある。わたしはそのどれにもあまり注意を払わない」と言えば、それらを目の敵にはしなくなるだろう。

わたしたちは質問を受け、それについて論じてきた。ジェリーの話も聞いた。なぜなら、彼もあなたがたと同じように自由の探求者だからだ。ドライバーが飲酒しているかどうかをチェックする検問所の設置に関する最高裁の答申、国旗を焼却した者に対する罰則の強化などの話題を耳にすると、本質的に自由の探求者である多くの人は、「こうしたことはすべてどこで終わるのだろ?　あることで自分たちの行動をコントロールする法律を作ることを許せば、一体それはどこまでエスカレートしていくのだろう?」と懸念し始める。そのとき、あなたは見えない世界のエネルギーをどのように使っているだろう?

もしあなたが「それはどこに導くのだろう?」というような気持ちを抱いたとし

たら、自分が追い求めている自由に反するようなやり方で、見えないエネルギーを使っているといっていい。被害者意識は法律そのものより大きな影響をあなたに及ぼすのだ。

自分自身を独立した別個の存在と見なしてもらいたい。自分を正当化しようとしないで、自分が提供する思考によって今の人生の出来事を引き寄せていると考えるのだ。それが、この件に関してわたしたちが最もはっきりさせたいことだ。どうもあなたは誰かに否定的な影響を受けていると考える傾向があるようだ。だから、車に乗ったら、シートベルトを締めなければならないとか、車を停めて、飲酒の検問を受けなければならないと誰かに言われているような気がするのだ。そんなふうに思えば、当然、いい気持ちがしなくなり、法律を作った連中がいかに間違っているかを力説せずにはいられなくなる。そうやって、自分の感情を正当化しようとするのだ。だが、そんなことをしても、見えない世界のエネルギーを自分が欲しないことのほうに振り向けるだけにすぎない。あなたは気づかないかもしれないけど、抵抗し、恨みに思えば思うほど、法律を作る連中に加担することになるのだよ。

自分が感じていることを正当化する必要などないのだ。感じていることは感じていること。ネガティブな感情をどんなに正当化しても、依然として自分の未来を混乱させることになるのだ（大声で言って、聴衆を笑わせる）。そのことをわかってほしい。

耐え難いことがあることはわたしたちも認める。耐え難い人間もいる。特に、あなたの好みを無視して、あなたのするべきことを決める連中は耐え難い。あまりに耐え難いので、自然の法則はそんなことを許さない。だから、思い悩む必要はない。彼らは法律だとかなんとか言うかもしれないが、あなたがそれに注意を払いさえしなければ、それは決して、決して、決して(叫ぶ)あなたの経験の一部にならないだろう。注意はあなたの招待状なのだ。

そういうわけで、気に食わない法律ができたら、容赦なくゴミ箱に投げ捨ててもらいたい。そうすればあなたに影響しないだろう。だが、反対の立場を正当化しようとすると、それを引き寄せることになるだろう。

自分が望んでいることに注意を向けなさい。望んでいないものに向けていた注意を引っ込め、自分に保証されている自由を満喫して生きるのだ。どんな状況下であれ、またどんなに努力しても、あなたから自由を奪い取れる者はいない。もし他人の言葉をわずらわしく感じるとすれば、あなたは自由ではない。他人の言葉に悩まされるとすれば、その言葉にあなたは縛られている。言い換えれば、あなたは自分自身の経験より他人の言葉によって影響される部分が大きいのだ。

現在、世の中の多くの人が、新しい音楽グループの不適切でわいせつなCDにショックを受けている。そのことで大論争が起こっている。だが、そうした音楽を聴くか聴かないかは、あなたの選択に任されている。CDを買うか買わないかの選択もあなたに任されている。すべてのことにあなたは絶対的な選択の自由を持っているのだ。

何を聞き、何を話し、何を考え、何に注意を向けるかの選択の自由を行使してもらいたい。完全にあなたのものである自由を行使し、永遠に幸せに生きてもらいたい。

子どもたちの音楽の好みを信頼できるか？

質問者　音楽の話が出たのでついでにお聞きしますが、そのようなわいせつな音楽に多大な影響を受ける思春期や10代の子どもを持った親はどうしたらいいのでしょう？わたしは子どもを持っていませんので、個人的には影響ないんですが。でも、子どもを持った親の立場になって考えると、とても興味があります。あなたも関心をお持ちのようですが、そのような問題にどう対処したらいいんでしょう。なぜなら、多くの親にとってそれは大変深刻な問題だからです。子どもたちがその影響下にあるわけですから。

エイブラハム　親が子どもを手放すのは簡単ではない。親は自分たちが自由だという考えは好むが、子どもたちが自由だという考えは好まない。親は子どもたちに言う。「わたしは自由だが、お前はそうではない。わたしは自由に考え自由に選択するが、お前はそうではない。なぜなら、まだ幼すぎて、善悪の判断ができるだけの知恵がついていないからだ」幼いうちから子どもは親にそう言われて育つ。成長しても、あなたを同様に扱う親がいるので、理解に苦しむのだ。あなたは自由か自由でないかのいずれかである。誰でも自由か自由でないかのいずれかなのだ。

親は経験する自由を子どもに許さなければならない。もし子どものためにすべての決定をしていたら、子どもは自分で決断することを決して学べないだろう。意図的な創造者になるために生まれてくる子どもは、決してそのような創造者にはなれないだろう。それだけならまだしも、子どもは十分な自由を与えられていないという気持ちから、親を恨みに思い、親に反抗するようになるだろう。実は、それが、卑猥《ひわい》な音楽が登場した理由なのだ。子どもたちはこう主張したいのだ。「俺たちは自分が望むものになれるし、自分がしたいことをできる。自分が欲しいものを持てるし、自分が言いたいことを言えるんだ」「俺たちは、その気になれば、いやらしくなれるんだ」それに対して、わたしたちはこう言う。「いやらしくなりたければ、そうなりなさい。わたしたちはその気になれば、善良にも、いやらしくもなるのだから」誰だってそうではないだろうか？　わたしたちがなりたいものになるのを、誰も止めることはできない。だったら、なぜゲームをするのをやめないのだろう？　なぜお互いをコントロールし合うのをやめ、自分に正直になって、調和を図ろうとしないのだろう？
ビジネスになるからという理由でそのような音楽がはやっているのはわかるが、もしわたしたちが物質世界の親だったら、こう言うだろう。「その曲を聴いて、どんな気持ちがするの？　元気になるなら、それを追いかけなさい。そうでなかったら、追いかけるのをやめなさい」

子どもたちが集団でそれに引き寄せられるのは、それにネガティブな注意を向けているからにほかならない。子どもに「あなたが見るべきではないものや、するべきではないことがあるの」と言うだけで子どもたちはそれを見たり、したりする方法を見つけるだろう。というのも、子どもたちは何も見逃したくないからだ。彼らの小さい熱心な心は成長を追い求めているのだ。

自分の立場を正当化することについて話したときに触れたように、卑猥な音楽に反対していると信じている人たちは、現在、そのブームの火に油を注いでいる張本人なのだ。ネガティブな注意をそれに向ければ向けるほど、そうした類のCDは有名になっていく。今では、何百万人という人がそれを聴くようになっているのだ。

ジェリーとエスターはそんな音楽を聴いたことがないと思っているだろうが、実は頻繁に聴かされている。なぜならテレビを通して流れてくるからだ。その大半はビープ音で肝心なところが消されているが、そこにどんな言葉があてはまるかはそんなに賢くなくてもわかる。

ヘルメットについて

質問者　あなたが先に述べた法律に関することに触れたいんです。わたしたちがどう思うかに関係なく、政府が通してしまう法律のことです。例えば先ほど、あの女性の方が述べていたシートベルト着用は法律です。それはテキサスの法律なんです。わたしはオートバイに頻繁に乗るんですが、頭にバケツをかぶらなければなりません。かぶれと言われるんです。

エイブラハム　ヘルメットのこと？　わたしたちが関心あるのは、あなたの頭の中味だ。

質問者　わかっています。ヘルメットをかぶらずに、この小さな町の美しいハイウェイを突っ走ったらどうなると思います？　何枚、交通違反切符をもらうかわかりません。ヘルメットをかぶるのが好きではないということだけで、ひどく気まずい思いをさせられるんです。

エイブラハム　あなたの思い込みが、交通違反切符をもらうことを確実にしているんだ。あなたが交通違反切符を引き寄せることなくどこにも行けないと見なせば、きっとそうなるだろう。一方、自分自身を自由だと認めることができれば、制限速度を超えてドライブすることだってできる。この世にはいろいろな人間がいるからね。知ってのとおり、法律を強要する人は、あらゆる場所に同時に注意を払えるほどたくさんはいない。実際のところ、彼らが関心あるのは、自分の存在理由を正当化することであって、法律を強要することではない。つまり彼らは仕事だからやっているにすぎないのだ。もちろん口先では、交通事故の予防や人々の安全確保を訴える。だが本心は、自己保身で仕事に居座り続けたいだけなんだ。その結果、次のような奇妙な循環が起こっている。仕事が彼らにお金をもたらし、お金が彼らに自由をもたらし、その自由を、彼らは法律を強要することであなたから奪おうとしている。わたしたちが言いたいのは、あなたが自分自身を自由だと認めれば、エスターが適当なときに時速55マイル（時速約88キロメートル）でドライブし、適当なときに時速75マイル（時速約120キロメートル）でドライブするように、適当なときにヘルメットをかぶり、適当なときにヘルメットを脱ぐだろう、ということだ。どうやら要点をつかめてもらえたようだ。

質問者　いいえ、質問するずっと前に要点はつかんでいました。わたしたちが本当にしなければならないのは、エネルギーを調整して、また一からやり直す、ということなんですね。

ゲイという自由の探求者

エイブラハム　あなたと考え方が対立する者がいないときなどないだろう。エネルギーを調整しても、それは変わらないだろう。次のような観点からそれを見てみよう。わたしたちは最近、根っからの自由探求者である一人の若者と話をした。事実、彼は情熱的に自由を求めてこの世に誕生し、ほとんどの人の基準からすると大変変わった道を選んだ。彼は言うところの「ゲイ」のコミュニティに属している。自由を求めた末にそうなったのだが、その結果、家族が彼をどう扱ったかについて話してくれた。家族は、彼がゲイになったことに真っ向から反対し、彼をまともな人間として認めていない。家族は彼をへんてこな変わった人間と見なし、彼は家族を恨みがましく思っている。特に彼の選択を認めてくれない母親に対してはそうだ。わたしたちは彼にこう言った。「でも、あなたも自分自身を振り返ってみて、母親の行動を許したくないと思っていることに気づかなければならない。言い換えれば、あなたの母親はあなたを不適切なことをしている人間と見なしたがっているのだが、あなたは母親が自分をそのよ

うに見ることを許そうとしていない。そのため、あなたは、母親があなたにとってい
る態度と同じ態度をとって母親を責めているのだ」
わたしたちが、どちらかというとこの影響力の強い問題を取り上げたのには訳があ
る。それは、今の社会のなかで大きくなりつつある問題なのだ。ほとんど常に問題の根底には、自由を阻もうとする社会のなかで「自由になりたい」という欲求がある。個人は一方で、非力だと感じているがゆえに寄り集まって法律を作る人たちもいる。個人はそうした人たちの挑戦にさらされているのだ。

「あなたの国を作った建国の父たち」それはおかしな言い方かもしれない。あなたがたの多くは当時、そこに居合わせたからだ。あなたの国の基礎を築いた人たちは、お互いを拘束し合うのが人間性であることを認める鋭い洞察力を持っていた。それゆえ、あなたがたは憲法の条文、権利章典、そのほかの重要な文書のなかに、お互いをお互いから守るための言葉を盛り込んだ。それが、自由の問題に関して多くの人を悩ませているものなのだ。それらのきわめて重要な文書が、あなたがたの自由を侵害するからだ。わたしたちが言いたいのはこういうことだ。「あなたがたが自分の自由は侵害されていると見なすのをやめ、文明は進化するものと思えば——つまり、自分が望むものが欠けていることに注意を向けるのではなく、望むものに注意を向ければ——、一つ、また一つと可決されるこれらの法律が廃案になるのを目撃することになるだろ

う」

法律を覆すには、どこかに急いで行こうとしているのに検問所で引き止められた人、大切な約束があるのに検問所に引っかかった人、飲酒していないのに無理矢理検査をされた人、権威の座にありながら不本意にも検問所で呼び止められた人、そのような人たちが何人かいれば十分なのだ。今、この部屋には、次々と可決される法案に目もくれず、絶対的な自由を信じている人たちがいる。そんなあなたがたの思考だけでも、法律を覆すに十分だろう。どうか、今日の集中的な会話の結果を見守ってもらいたい。これからどんな議論が戦わされるか、注意して見守るのだ。あなたがたは今日ここで、きわめて効果的に法律談議の口火を切った。何が起こるか、見守ってもらいたい。そして、これらの煩わしい法律が消滅する方向に向かう兆しが見えたら、喜んでもらいたい。その間、ネガティブな感情をもたらす一切のことに注意を向けてはならない。わたしたちはともに無駄な法律を廃案に追い込むプロジェクトを発進させた。それが進むに任せ、どれだけ早く進むか見守ろう。プロジェクトが成功したあかつきには、自分の手柄にしてもいい。「わたしたちがそれをやったのだ。テキサスの部屋に座って、それを練り上げたのだ」と。既にあなたは、はるかに大きな自由を見ているのではないだろうか？　進化する物事に気づいているのではないだろうか？　よろしい。

もしあなたが自分を気持ちよくさせてくれるものに主として焦点を当てる人間な

ら、問題や困難に焦点を当ててばかりいる人間より、宇宙や社会にとってはるかに貴重な存在だといえるだろう。快感をもたらしてくれるなら、ヘルメットをかぶりなさい。そうでなかったら、かぶらなければいいのだ。

人を弱らせる診断を下す医師

質問者　ありがとうございます。わたしはもう一つの話題に触れたかったんです。わたしの身体器官の回復を報告するものです。わたしの目のことです。以前、お話ししたことがあります。たぶん、4ヶ月ほど前だったと思います。あなたは、目が深刻な状態にあるという事実より、わたしが飲んでいる薬に集中するよう忠告してくれました。網膜の後ろに疱疹があり、そのときすでに片目は見えなくなっていましたし、もう一方の目も失明する方向に向かっていました。わたしは、「もし盲目になったら、どうしよう?」という思いを心から締め出すのに相当苦労していました。なぜなら、特に夜間、目を開けて白壁を見ると、このくらいの斑点が見えました。目と口のある卵型の顔が、わたしのほうを見つめているようで、恐ろしかったんです。それでもなんとかその事態を切り抜け、薬に注意を集中しました。その薬はわたしを治してくれるはずだったんですが、全然別のことをしました。身体がひどい変調をきたしたのです。わたしは目以外のあらゆるところに痛みを感じ始めました。けれども、だんだんそれはよくなっていきました。非常にゆっくりですが、痛みが薄れていくのを感じました。わたしは両目に注意を集中し、検査を受けて好結果を出しました。その後、医師のところに行ったんですが、わたしが上手に字を読めるので、医師は大喜びでした。わたしは本当に幸せでした。気分も爽快でした。ところが……、医師が拡大鏡を使ってわたしの目を覗き込むと、血痕を発見したのです。愕然としました。網膜に血が現れたら、レーザーを使って取り除くしかない、ということがわかっていたからです。わたしはイスにへたり込まずにいられませんでした。

エイブラハム　医者というものは、いとも簡単に患者を奈落の底に突き落とすことがあるんだ。そうだろう?

質問者　非常に短い間に、わたしを有頂天にさせ、すぐさま絶望のどん底に突き落としたんです。その後、目の様子を写真に撮られ、レーザーを使うことについて医師から説明を受けました。その危険性についてもすべてです。わたしは単刀直入に医師に告げました。「いいえ、レーザーを使いたくありません。肯定的なことに注意を向ける方法を使って、自分自身で治してみます。今のやり方を最後までやり通してみたいんです」翌週、病院に行くと、わたしの目を見て医師は言いました。「これは驚いた！こんなことは15年間、見たことがない。経験したことがないぞ！」

エイブラハム　ノートにつけるよう彼に言いなさい。たぶん、これからもっとそのようなケースを目撃することになるだろう。

質問者　血痕は小さくなり、2週間前、最後に訪問したときには、さらに小さくなっていました。今では、いつでもよく見えるようになっています。左目も見えるようになっているんです。どんどん改善されています。けれども、このプロセスをもっと加速したい、というのがわたしの願いなのです。

エイブラハム　あなたの思考はバランスがとれている。だから、「改善されつつあるのは素晴らしいことだ。もっとそのスピードを速めてほしい」と言えば、プロセスは速まるだろう。あなたは手をハンドルにかけているだけではなく、足をアクセルに載せているのだ。本当なのだ。前向きな注意を向ければ向けるほど、そのプロセスは加速するだろう。一方、あなたが望んでいないことに注意を向ければ、減速することになる。そのようにしてあなたは絶えずバランスをとっている。

あなたは医師を治療者として認めずにずっとやってきた。「いいえ、自分で治します」と言ったのだ。

医師のひと言が大きな影響をもたらし得ることをエスターで体験したことがある。言い終わるのにおそらく4秒ぐらいしかかからないひと言だったと思う。エスターがそれから転換するのに2ヶ月もかかったのだ。その間、彼女は望みもしないあらゆる種類の身体的兆候を味わった。ちょっとした思考の刺激だけでそうなったのだ。その間、わたしたちはずっと彼女に言い続けた。「すべてはうまくいっている。リラックスしなさい。そのうちに通り過ぎる。相手は今の仕事にとどまりたくて言っているだけなんだから。そんな人の言葉に惑わされる必要はないんだよ」

あなたの悪いところを探すよう訓練された人は、あなたが会いに行けば、当然、あなたの悪いところを探そうとする。あなたは協力者として、彼らが探しているものを与えようとする。それが普段、あなたのやっていることなのだ。それに対し、「いいえ、わたしはレーザーによる手術を望んでいません。本当のことを言えば、あなたにいじられ、検査されるのも望んでいません。あなたの意見さえ求めていないんです。自分が何を感じ、何を持ちたいか、わかっているのですから。わたしが望んでいるのは自由と幸せを感じ、成長していることを実感することです。わたしが持ちたいのは、あらゆる点で気持ちがいい、元気溌剌とした健康な身体です」と言うのは、とても賢明なことだ。そのように言えば、あなたは自分の望みを実現するための行動がひらめくだろう。自分が何を感じ、何を持ちたいのかがわかっているのだから。

もしレーザーによる手術が、あなたの抱く信念や意図の組み合わせから見て、妥当な答えであれば、あなたは「イエス」と言っただろう。それを聞いて、ホッとしただろう。「そのとおり、それがとるべき適切な行動なのだ」と感じただろう。だが、それに大きな抵抗を覚えたら、間違いなくそれはあなたの望むことと調和していない。その理由は既に発見したはずだ。改善が見られるのは、あなたが望んでいる方向に進んでいるときだけなのだ。

あなたが何かを経験するとき、そこにはいかなる理由も介在しない。思考によってエネルギーをどう活用したかがあるだけだ。それだけなのだ。ただし、あなたは他人によって吹き込まれた考えに左右されやすい。例えば、「年をとると身体が衰える」という考え。あなたが所属する社会の多くの人がそれを信じているため、あなたもその考えを受け入れる。すると、それはあなたの経験のなかに組み込まれ、大きな影響力を発揮するようになる。本来なら、たとえわたしたちからそのような考えを聞いたとしても、抵抗を感じるべきなのだ。なぜなら、心の奥底で、衰える理由などないことを知っているのだから。あなたは喜びの体験以外の体験をする必要性などまったくないのだ。もしそれ以外の体験をするとしたら、そのような思考を宇宙に向かって発信しているからにほかならない。
テキサスのバーニーで、小さな郵便箱に入っている手紙を見て、わたしたちは愕然としたことがある。あまりにもネガティブなことが書かれていたからだ。それはエスターとジェリーに「あなたは今、これこれの年齢に近づいているから、これこれのことを予期していなければなりません」と告げる手紙だった。そういった連中の調査の対象にされ、意味のない統計の一部に加えられたくないと思うのは当然だ。若々しい行動を追い求めているあなたが、自分を年寄り扱いしたがる人々の枠にはめられたくないと思うのは無理もない。自由を感じるのは素晴らしいことなのだ。

身体細胞の自然な成長

ジェリー　人生後半50年の身体細胞の自然な成長についてはどう思いますか？

エイブラハム　前半の50年とまったく同じだ。細胞はあなたの期待に応える。小さいとき、あなたは成長し、強くなることを期待する。ある年齢に達するまで、大きく強くなることを期待するのだ。その年齢をピークとみんなはよぶ。

質問者　なぜそれを受け入れるのですか?

エイブラハム　それを受け入れる必要はない。あなたがそれを受け入れるのは、多くの人がそうしているからだ。社会の思考のバランスがそこにあるのだ。したがって、あなたは、一個人として、社会の大勢の人が言うことになんでも足をすくわれる傾向がある。だが、そうする必要はない。

最終的にあなたが「あなたがたはそう考えるかもしれませんが、わたしはそう考えません。わたしが選ぶのはこういうことです」と言えば、彼らは姿を消すだろう。また、「わたしの経験は、純粋にわたしの思考の産物です。そしてわたしの思考は、純粋にわたしの決断の産物です。わたしの決断は、純粋にわたしの願望の産物であり、わたしの願望は、純粋にわたしの知識の産物です」と確信を持って言えば、あなたが話し終えるずっと前に、彼らは姿を消すはずだ。だが、少なくともあなたは自分の立場に立って、「わたしは、盲目やガン、エイズ、貧困、シートベルトなどは望まない。一方、健康、経済的繁栄、いい人間関係などわたしが望むことで、なれないもの、やれないこと、持てないものは何もない」とはっきり言わなければならない。わかってもらえただろうか?

社会の信念や期待の効果

ジェリー　実際のところ、わたしたちは信念や期待を、全然持たずにいることはできません。生まれたときから、それらのなかにつかっているからです。信念や期待に対処したり、対処法を考えたりすることはできますが、わたしたちは絶えずそれらのものに取り囲まれています。

エイブラハム　例えば、あなたは次のように言うためにここにいるのだ。「社会の信念や期待にわたしは影響される必要はない。もちろん、信念や期待は強力なので、道理を理解できない最初のうちは多少悩まされたが、影響される必要はないのだ。わたしが受け入れたときだけ、それらはわたしに影響を及ぼす。だから、わたしはそれらの一部を受け入れる。わたしたちが物質でできているという考えや、物質的な愛の観念を受け入れる。新鮮な食べ物を食べるという考えや、芝生の上を裸足で歩くという考え、美しい水に身体をひたすという考えも受け入れる。ここには、わたしが受け入れると信じられているものがたくさんある。だが、わたしが受け入れないものもある。ここは想像し得るかぎりの食材がストックされたキッチンだ。わたしはそこから欲しいものをつまんで食べるが、かなりえり好みが激しい」

あなたはレストランに行って、料理をすべてを試すだろうか、それともメニューをよく見て、おいしいとわかっているものを選ぶだろうか？　見るものすべてを食べるだろうか、それともそれが何かを見極めるだろうか？　エスターは食べ物を口に入れる前に、匂いを嗅ぐ。そうやってそれが食べていいかどうかを確かめるのだ。あなたも、何をするときでも、選ぶ作業や確かめる作業をやってもらいたい。

あなたは、どんな思考であれ、それをあなたが抱くほかの意図と天秤《てんびん》にかけるまで、受け入れる必要はない。天秤にかければ、どう感じるかで、それがあなたの求める食材なのか、それとも手放したいものなのかがすぐにわかる。ところで、手放したいものをどうやって手放せばいいのだろう？　それに注意を向けるのをやめればいいのだ。次のように言うと、手放せない。「それは間違っている。そうであるべきじゃない。法律でそれを取り締まるべきだ。それをやめろ。誰かにそれをやめさせろ。わたしたちにはもっと警官が必要だ。もっとたくさん法律が必要だ。もっとたくさんの規則が必要だ。あなたはそれを止めなければならない。そんなことをやらせてはならない！」

以上のような言い方をすると、「それ」があなたの人生経験に招き寄せられるだろう。自分が望まないことに注意を向ければ向けるほど、それがあなたの経験に招き寄せられるようになるのだ。

何かを自分の人生に招き入れたかったら、そのことに心から興奮するのが一番だ。興奮すればするほど——肯定的な意味でも、否定的な意味でも——、それは素早くあなたのところにやってくる。興奮するほど、早くやってくるのだ。ところで、どうすればあなたは最も興奮するだろう？　それについて語ることだろうか？　あるいは、それに興奮している他者と語り合うことだろうか？

エスターは世界最高の盗み聞きの名手だ。エスターがレストランに座っていると、遠くのほうで話している声まで聞こえる。遠くで何が起こっているか、彼女は知っているのだ。彼女が観察したのは、そしてわたしたちが彼女の耳を通して観察したのは、世間の人がホラーストーリーを喜ぶ、ということだ。ちょっとした困難があったことを誰かに知らせるだけでいいのだ。彼らは、似たような自分たちの困難や、知人の困難についてとうとうと語り出すだろう。そのうちにあなたは「引き寄せの法則」によって、その種の困難を期待し始める。だから、「扉を細めに開けるな」と言いたい。細めに扉を開けて、その隙間が広がると、閉めるのがやっかいになるからだ。

人生を修復したがっている女性

質問者　わたしの娘は30歳過ぎで、人生を楽しんでいますが、わたしが事を穏便に済まそうとしても、うまくいかないことがよくあります。わたしが静かに聞いていると、あるいは歩み去ろうとすると、「気にかけてくれない」と言います。わたしが、「それについては一晩寝て考えましょう」と言うと、「今、話したいの」と言います。タール・ベイビー（ウサギを罠にかけるためにタールとテレピン油で作った人形。最近では、ベタベタとまとわりつくものの比喩としても使われる）と格闘しているような感じです。どうやって逃げればいいかわかりません。わたしたちはまるで水と油です。どうしてこんなふうになったのか、首をかしげます。わたしは看護師で、基本的に〝治し屋〟なので、娘の人生を修復できる気がします。わたしも、できると思っているんです。だから、娘はわたしのところに来るんです。わたしは基本的に前向きな楽天家なのに、娘は正反対の性格です。この事態をどう扱ったらいいかわかりません。

エイブラハム　知ってのとおり、あなたの娘だけではなくあなたのなかにも、前向きな傾向と後ろ向きの傾向とが並存している。言い換えれば、前向きなだけの人間も、後ろ向きなだけの人間もいないのだ。あなたは自分のなかにいずれの可能性も秘めている。なぜなら、あなたが何かを望めば、それが欠けているという認識を必ず伴うからだ。例えば、「お金が欲しい」と思えば、その思考には「お金が不足している」という認識が含まれる。必ずそうなのだ。理解してもらえるだろうか？　あなたが健康について考えるたびに、それと並行して必ず病気が心に浮かんでくる。病んだ人のことを考えることなく、健康というテーマについて考えるのは非常に難しい。十分なお金がないことを考えずに、たくさんお金を持つことを考えるのは至難の業なのだ。要するに、宇宙の思考はとてもバランスがとれているということだ。

娘のなかに、前向きに考える傾向と後ろ向きに考える傾向、いずれの傾向もあることを認識すれば、彼女からある程度の（あるいは相当の）否定的な仕打ちを受けたとき、自分にこう問いかければいいだろう。「このような事態を引き寄せる、どんな種をわたしはまいているのだろう？」言い換えれば、「娘がわたしの人生に入り込んできたのはなぜだろう？」ということだ。あなたは先ほど、娘を否定的な傾向が強いということで、タール・ベイビーのようだと語り、どのようにしたら彼女から離れられるかわからないと述べた。よろしい、タール・ベイビーのような性格が彼女の表立った性格だとしよう。それだけで、彼女を悪者だと決めつけることができるだろうか？いや、それは、彼女が宇宙に存在するほかのすべてのものと同じであることを意味しているにすぎない。彼女は肯定的にも否定的にもなりうる可能性を持っているが、今は、否定的なほうを選んでいるのだ。だから、彼女の経験のなかで、ネガティブなものが優勢なのだ。たまにわたしが悪いものを引き寄せるからといって、わたしは悪者だということになるだろうか？　いや、ならない。それは単に、少なくとも今は、わたしが自分の望んでいないものを引き寄せていること、別の言い方をするなら、自分の望んでいないことに注意を向けていることを意味するにすぎない。それをわたしはどう感じるだろう？　好むだろうか、好まないだろうか？　答えは簡単、不快感を覚えるのだ。ということは、それを望んでいないことを意味する。自分が望まないものをどうすれば取り除けるだろう？　自分が望まないものを取り除く方法はなんだろう？

あなたが持ち出したタール・ベイビーの比喩がわたしたちは好きだ。ネガティブな思考の一部はかなりねばつくのだ。あなたはタール・ベイビーを引き離そうとしたことがあるだろうか？　それはあなたの指にくっついて離れない。あなたが足でそれを蹴《け》り離そうとすると、今度は足が捕らわれる。もう一方の足で蹴り離そうとすると、その足もくっついてしまい、頭で引き離そうとすると、頭もくっついてしまう。やがて完全にタール・ベイビーにまとわりつかれてしまい、「助けてくれ！」と叫ぶ羽目になる。すると友達か母親がやってきて、足で蹴り離そうとする。それでも駄目なので、手や頭を使って引き離そうとするが、結局無駄で、友達（あるいは母親）もネガティブなものにまとわりつかれ、二人で助けを呼ぶことになる。そのようにしてネガティブなものはへばりつくのだ。

どうすればタール・ベイビーを引き離すことができるか教えてあげよう。こっちを見るのだ。タール・ベイビー以外のものに注意を向けるのだ。ほかのものに注意を向けたとたん、それはくっつくのをやめ、どこかに行ってしまう。そして、次の疑うことを知らない人間がやってきて、自分を小突くのを待っている（聴衆：笑）。

飲み込めただろうか？（ジェリーに向かって）決して完全ということはないだろう。あなたが完全であることなどわたしたちは望んでいない。

人間関係を改善する言葉

ジェリー　批判的な伴侶、反抗的な子ども、ネガティブな仲間、そりの合わない知人との関係を改善するのに活用できる言葉として、どんな言葉を勧めますか？

エイブラハム　「あなたは素晴らしい人だと思う。わたしたちはみんな素晴らしい人間になる方法を見いだそうとしているんだと思う。わたしたちめいめいのなかに、素晴らしい存在がいることをわたしは知っている。わたしはあなたのなかにそれを見たいし、わたしのなかにもそれを見てもらいたい」と言うしかないだろう。それを面と向かって言っても、心のなかで念じても、相手はメッセージを受け取るだろう。そうしたメッセージからあなたは――そして、彼らも――恩恵を受けるだろう。

「肯定的側面の本」（これについては前に説明した）を携帯してもらいたい。あるいは目立つところに置いておき、その気になったら手にとって読むのもいいだろう。自分の経験の肯定的な面を探せば、あなたが知っている（理解している）、いないにかかわらず存在する法則によって、必ず肯定的なものを自分の人生に招き寄せ始めるからだ。

知ってのとおり、人生は楽しむためにある。それが、この世に誕生する前のあなたの計画だった。あなたは自分にこう言ったのだ。「世の中に出て行って、物質世界の楽しさを堪能しよう」次のようには言わなかった。「世の中に出て行って、セックスをしまくろう（聴衆：笑）。へまをするだろうが、（勇敢に）辛抱しよう（聴衆：笑）。悲惨なのはわかっているが、わたしはタフなのだ。風当たりが強いことはわかっているが、わたしは強いのだ」

なぜなら、あなたがこの世に生まれることに決めたとき、「誰にも何かを」説明する必要がないのを知っていた。点数をつけている者など誰もいなかった。誰も、「あなたは自分自身を証明しなければならない」とは言わなかった。

「わたしはこれから物質世界に出て行き、輝かしい人生経験をするつもりだ！ その道中で、『宇宙の法則』がどのように働くかの最高の見本を他人に見せてやるつもりだ。たまには失敗もするだろう。そんなとき、『ハ、ハ、ハ、ざまあみろ』と言われたら、『いけねぇ、やっちまった。失敗を考えて、心配したらこのざまだ。でも、法則がこんなにまで一貫しているなんて、素晴らしいじゃないか？』と言い返すつもりだ」

とあなたは言ったのだ。

あなたはほかの誰かにとって完璧であるふりをする（あるいは、完璧になる）ためにここにいるのではない。法則の働き方を認識し、最も「恐ろしい」状況でも楽しめるようになるためにここにいるのだ！　あなたが自分自身を表現する方法は、そのときどきで変わるのだ。

自分の望まないことを創造しているときでも、あなたは「宇宙の法則」の最高の見本である。友よ、それがどんなに価値があることか、わたしたちは語り尽くせない。ここにいる誰もあなたを笑っている者はいない。わたしたちは拍手喝采《かっさい》しているのだ。

あなたは子ども――あなたの子どもかもしれないし、他人の子どもかもしれない――が歩くことを覚えようとしているのを見守ったことがあるだろうか？　子どもが転んで、頭を床にぶつけたとき、あなたは、「愚かな小さい間抜け野郎！」（聴衆：笑）「立って、歩け！」（聴衆：笑）と言っただろうか？　それとも、「だいじょうぶだよ。みんな転んで、頭を打つんだ。それが歩き方を学ぶ方法なんだ」と言っただろうか？

では、新しい体験で、どうすればいいかわからなくなったとき、あなたはどうしていつも自分のことをいじめるのだろう？　どうしてその経験を吟味し、それがもたらしてくれる知恵を身につけようとしないのだろう？　そして、そのなかの肯定的な面を探そうとしないのだろう？　肯定的な面は必ずある。あなたは、わたしたちがどのようにして知るかを知っているだろうか？　すべてのもののなかに、肯定的な面と否定的な面とがあるからなのだ。宇宙のどこを見ても、そのことに例外はない。あなたが知っている人たちも例外ではない。みんな肯定的な面と否定的な面を持っている。あなたの知る神も、その点では同じだ。宇宙のどこをとっても、例外はない。あなたが求めていることと、それが不足していることとの間には、完璧なバランスがある。あなたは焦点の当て方によって、自分が選んだものを、なんでも人生に招き寄せるのだ。

「内なる存在」との関係を深める

質問者　エイブラハム、わたしは自分の見えない「家族」との関係をもっと深めたいんです。感情が「内なる存在」とつながる鍵だということはわかっています。

エイブラハム　あなたの感情というのは、情緒的な反応のことだろうか？

質問者　そうです……わたしの本当の気持ちです。わたしは、イエスが善良な人だという感覚を持って育ちました。もしイエスが必要なら、「わたしに呼びかけなさい」

と言ってくれそうな気がしていました。この歌詞、その後どう続くかご存じですか？
わたしは「内なる存在」に、わたしのなかの小さな子どもの面倒を見てもらえるのではという期待を抱いています。もちろん、わたしたちがここで行っている創造的プロセスに、自分がとても興奮し、ワクワクしていることを理解しています。でもわたしのなかには、まだ、「両方持つことができないだろうか？」と言っている部分があるんです。

エイブラハム　両方って何と何だろう？

質問者　あの……ええ……、わたしはセラピストとして、自分が子どものとき、幻想的な共依存の関係を持っていたと見ています。その関係では、神は大いなる父で、わたしは神の子なのです。それと同じで、「内なる存在」が親で、わたしが子どもというような関係を求めている部分があるのです。

エイブラハム　大半の人があなたと同じだ。これから言うことは、物質世界のほとんどの住人にとって、耳の痛いメッセージかもしれない。一方であなたは自由を欲し、他方で自分より年とった賢い誰かがいて、自分を導き、面倒を見てくれるという感覚を持ちたいと思っている。その両方を持つことはできない、というあなたの認識は正しい。一歩踏み込んでわたしたちは、一方の道しかとることができないと言いたい。あなたは創造者になるという意図を持ってこの世にやってきたからだ。あなたは自分のパワーを感じていた。身体に宿ったとき、あなたの望みは非常にはっきりしていた。今になって、その望みを変えることはできないのだよ。

あなたはこう言った。「わたしは物質世界の人間として生まれ、思考の力を通して、『宇宙の法則』を人生に適用し、優れた創造者になるつもりだ」さらにあなたはこう言った。「わたしはこの世で力を発揮するだろう。物事が素早く起こるからだ。地球上ではエネルギーの波動が高く、素早く振動する。物事が起こる速度が非常に速いので、そのことがよりはっきりする。だから、他人に理解してもらうため、実例を示すのが簡単なのだ」

あなたがイエスとして知られる人物と同一化しているという強い感覚を持つのは、イエスのエネルギーが、あなたの「内なる存在」が属す「家族」のなかに存在しているからだ。

それが理解しにくいのは、あなたが物質的な視点に立って、自分自身を身体と見なすからだ。自分が身体以上の存在であることを認識しても、お決まりの「生か死か」に囚われる傾向がある。こうして、あなたは物質次元と見えない次元を行ったり来たりする自分を思い描くが、どうしてか、この身体は過去生で持っていた身体の延長にすぎないと考える。だが、実際にはそうではない。あなたに理解してもらえそうな例を挙げてみよう。

ジェリーとエスター、そしてトレーシーがボストンに旅をした。わたしたちは彼らに言った。「あなたがたは彫像を気に入るだろう。それが過去生の終着点だったからだ」彼らはとても興奮した。

「わたしは誰だったんだろう?」「わたしは誰だったのかしら?」と口々に自問した。「あなたを表現している彫像の前に立てばわかるだろう」とわたしたちは言った。

彼らは、自分たちが彫像を建ててもらえるほど有名だったことに大変興奮した。真夜中か午前1時ごろだったが、夜の間中、あちこちを飛び回り、彫像の前に立っては、なんらかのメッセージをもらえないか確かめた。そして、サミュエル・アダムズの彫像の前に立ったとき、三人が口をそろえて、確信を持って言った。「わたしはサミュエル・アダムズだった」それから彼らはお互いに顔を見合わせて言い合った。「あなたじゃなく、わたしがそうよ」「いや、わたしよ」

すかさずわたしたちは、「あなたがたすべてだ」と言った。

かつて一人で表現されていたエネルギーが今、三人を通して表現されているのだ。多くの人がイエスとして知られる人物に強いつながりを感じる理由もそこにある。イエスという思考のエネルギーないし意図は、物質世界のなかでより高い精度を目指して絶えず表現され続けているのだ。大切なのは、それが喜びを味わうために表現されていることだ。こうした概念を把握し始めると、ときにあなたは少し自分を失ったかのように感じる。一時的にせよ、突然アイデンティティが少し脅かされるように感じるのかもしれない。「わたしはいつもわたしというわけではなかったということですか？　わたしは虫から神へと至るハシゴを登っているのではないのですか？」それに対してわたしたちは、「そうではないのだ」と言う。あなたは神として出発し、経験を広げているのだ。もっと知りたいという欲求があるからだ。成長には終わりがないのだ。

物質世界の存在であるあなたは、「なんでも知っている偉大な教師」という考えを好む。それはあなたが話していた、すべての答えを見いだした父親で、「お父さん、何をすべきか教えてください」と尋ねることができる存在だ。だが、わたしたちに言わせれば、彼は今後とも永久にすべてを知ることはない。現在、知っていることを知っているだけで、あなたもその知識を手に入れることができる。しかし、あなたの存在理由はそれを超えて進むことにあるのだ。

今夜、ここに集ったわたしたちは、もちろん、あなたがたに人生の秘密を明瞭に理解してもらいたいと思っている。だが、あなたがたの誰一人として、同じ出発点に立っている者はいない。これは資格認定の仕方が全員異なる、きわめて特殊な履修コースなのだ。あなたがここにどのようにして引き寄せられるかは、あなたの知っていることとは関係ない。あなたの願望の力と関係しているのだ。

あなたが、自分は何者で、なぜここにいるのか、どうしたら人生をうまく生きられるのかを理解したいと願うなら、わたしたちはこう言いたい。あなたは物質世界の楽しさを満喫するためにここにいるのだ。これまで洗練されてきた思考をさらに洗練するためにここにいるのだ、と。あなたは物質世界の勢いを感じたいがためにこの物質的次元を選んだ。物質世界は、前進しているという感覚をもたらす測定手段をあなたに与える。あなたが自分の居場所を見いだしやすいのは、ここでの人生経験が一貫しており、漠然と漂っているということがないからだ。あなたは目的と機能、進歩しているという感覚を持っている。あなたは微調整が利くから、この世界を選んだのだ。

あなたの「内なる存在」は、やすらぎの感覚、幸せの感覚、「すべてはうまくいっている」という感覚をもたらす。それは、母親や父親があなたを腕に抱き、「すべて、だいじょうぶよ」と言ったときに覚える感情と同じだ。あるいは、彼らがあなたの目を覗き込んで、「あなたのことが誇らしいわ。あなたなら、きっとできるわ」と言ったときに感じるパワフルな感覚と同じだ。あなたは実際に「内なる存在」から、自分を奮い立たせてくれるそのような感情のすべてを受け取ることができる。けれども、

「内なる存在」からの指示を期待してはならない。ここは「内なる存在」の場所ではないからだ。ここはあなたの場所なのだ。この物質世界のデータを処理したのは、あなただ。あなたはこの時代の観念や信念に身を投じた、選ばれし者なのだ。そう、あなたは選ばれし者なのだ。あなたは意識的に思考するメカニズム——見えないエネルギーに形を与え、自分にとって意味のあるものにするツール——を持っている。あなたがそのツールを使うとき、「内なる存在」はその一部始終を観察し、その一部始終に参加し、あなたとともにビーチに寝そべり、その一部始終の楽しさをむさぼっている。そのとき、あなたはつながりの力を感じるが、いちいち指針を求めることはしない。なぜなら自分が主人であるのを知っているから。

わたしたちは娘と一緒にいるエスターを見守ってきた。二人ともとても創造的で、才能がある。母親が「わたしにそれをさせて」と言うことほど、トレーシーを悩ませることはない。エスターがトレーシーのやり方に不満を持ち、トレーシーを押しのけて自分で片づけることがわかると、トレーシーはやっていることを一切放棄したくなる。

ほかの誰かにやるべきことを命令されたり、告げられたりするのは、あまり楽しいものではない。なぜなら、あなたは心の内で自分が主人なのを知っているからだ。ほかの誰もあなたのために考えることはできないので、その立場は奪えない。したがって、誰もあなたのために感じることはできないし、あなたのために引き寄せることもできない。誰かがあなたのために、あなた自身がするつもりだったことをしようとしても、あなたにとっては価値がない。

わたしたちは見えない世界の教師として、指針を求める多くの人から質問を浴びせられる。そんなときには、喜んで導きを与えるが、同時に、あなたが現在得ているものをどのようにして手に入れたかをできるだけ鮮明に理解してもらうよう常に気を配っている。というのも、「これは駄目、あれをやりなさい」というわたしたちの言葉に従ってばかりいたら、いつの日か、わたしたちが日差しを浴びて有頂天になって座っているとき、「わたしは自分でそれをやるつもりだったんです。あなたは自分を何様だと思っていたんですか?」と言いたくなるときがやってくるのがわかっているからだ。

そしたら、「わたしたちはあなたが探し求めている父親だと思っていたんだ」と言うつもりだ。

わたしたちはあなたがた一人ひとりに話しかけているのだ。物質世界で生きるあなたは、自分が望むものについて日々、決定を下している。それらの決定に基づいて、あるいは、文字どおりあなたが送り出す思考に基づいて、あなたは現在、引き寄せているものを引き寄せているのだ。わたしたちが強調したいのは、意図的に決定を下す、ということ。そうすれば、あなたは自らの経験を導くことになるだろう。

「聖霊」について考える

質問者　エイブラハム、二つ質問があります。エイブラハムの教えにかかわる、聖霊の役割は何ですか？

エイブラハム　「聖霊」。物質世界の言葉を使うときには常に、あなたがたがそれをどう使っているかに注意する必要がある。わたしたちが語る言葉はすべて思考のかたまりを翻訳するために、あなたがたが生み出したラベルであることを思い出さなければならない。しばしば、あなたがたは同じラベルを用いて、異なった思考のかたまりを述べることがある。

わたしたちが観察したことをわたしたち流に解釈するなら、「聖霊」とは、あなたの「内なる存在」であり、あなたの内部に住む、宇宙の力とつながっている家族だといっていい。言い換えるなら、それは、あなたがしたいことをするときに用いる、見えない世界のエネルギーの流れである。「聖霊」はあなたを導くために与えられるものではない。あなたが自分の目的を果たすため、意識的に活用するものとして与えられるのだ。それは家庭の電気回路を流れる電流にすこぶる似ている。あなたは自分が望むもののプラグをコンセントに差し込めばいいのだ。あなたの言う「聖霊」とは「内なる存在」であり、これまでの人生の経験やあなたが抱いている意図のすべてを知っている。言い換えるなら、あなたは成長、喜び、自由を求める存在であり、それらの意図はすべて、あなたに与えられるエネルギーの周辺に織り込まれている、ということだ。これまでのすべての人生を含む源からやってきたあなたは、不幸よりも幸福を、閉じ込められるより自由を、停滞するより成長を、人を打ち負かすより励ます人になることを好む。したがって、自分が物質的に他人を打ち負かしていることに気づくと、ネガティブな感情を覚える。それは、あなたがより大きな目標に調和しないようなやり方でエネルギーを使っている兆候である。感情というナビゲーションシステムは、あなたが自分の望んでいる方向に向かっているのか、それともそれからそれているのかを文字どおり知らせてくれる。わたしたちはそれを「聖霊」とよぶのを好まない。その言葉は、わたしたちが実際に見ているものとは異なるイメージをもたらすからだ。

「神の介入」について考える

質問者 超越的な神や神の介入という概念の意味を説明していただけますか？（書かれ

た質問を読み上げる)

エイブラハム　それは先の質問に沿った質問だ。もしあなたが本当に、自分の経験の創造者であるなら、また、自分が提出した思考に見合ったものを受け取るなら、どうして奇跡が起こるのだろう？　突然予期せぬことが起こり、危険が回避されたり、望みがかなえられたりするのはどうしてなのだろう？　そのような瞬間、何が起こるかというと、あなたが抱くより大きな意図が、意図が欠けているせいで起こった事態からあなたを救う、ということなのだ。

例えば、予定より遅れて自動車に乗って出かけるとしよう。あなたの頭のなかにあるのは、約束の時間に間に合うように目的地に着きたいということだけ。あなたは一つの明確な意図を持っている。目的地に着くためにできるだけ速く走る、ということだ。そのため、安全性のことを考えるゆとりがない。安全に目的地に着くことを考えずに、ただ早く目的地に着くという意図を持ってドライブしている結果、あなたは自動車事故に巻き込まれそうになる。その瞬間、あなたの意図は、あなたを救うほど強力ではないように思えるが、長い間かかって、より大きな意図が確立されてきたため、奇跡的なことが起こる。わたしたちの好きな言い方をするなら、「宇宙の妖精たち」が危機一髪あなたを救うために、状況や出来事をアレンジするのだ。すべてはあなたが抱く意図の組み合わせによって起こる。

わたしたちが「神の介入」についての話をすると、実際には生きたいけれどガンで死につつある人たちは、どうして神は自分のために介入してくれないのだろうと疑問に思う。「わたしがどんな悪いことをしたのだろう？　わたしになぜ奇跡が起こらないのだろう？　ずっと毎日祈りを捧げてきたのに……どれほどの善人にならなければならないのだろう？」

ほとんどの人が思っているような意味では、神の介入といったものは存在しない。それは何が起こったかわからないゆえに、多くの人が自分の経験を正当化するために、口にする言葉なのだ。あなたに起こることはすべて、例外なく、あなたが抱く意図と信念の組み合わせに基づいて起こる。

もしあなたを育てた親が、自分もあなたも価値ある人間と見なさず、不運な家庭に生まれたゆえに、きっと悪いことが起こると毎日あなたに言っていたら、あなたも言われたことを信じるようになるだろう。そして、親が「引き寄せの法則」によって不運な事態を招き寄せると、「ああ、やっぱりそうか。わたしたちは選ばれなかった人間なのだ。いいことなんかあるはずがない」と言うだろう。そんなあなたは、悪いことばかりに気を奪われているゆえに、悪いことを引き寄せる人間になるだろう。他方、あなたは望みどおりのものになれる、望みどおりのことができる、望みどおりのものを持てると信じるよう励まされてきた人間は、いいことが起こるのを邪魔しないので、いいことばかりを招き寄せるようになる。

見えない世界のエネルギーは、すべての人に均等に流れる。それをどのように物質世界に表現するかは、あなたがどのような思考を抱くかにかかっている。だから、すべての思考が一つの方向に向かうよう、「わたしはあれが欲しい。それだけの価値が自分にはある。わたしにはそれができる。わたしは有能なのだ」と言えば、あなたがそれを得るのを引き止めるものは何もない。だが、「わたしはそれが欲しいけど、それを持つのにふさわしくないし、持てないだろう」と言えば、あなたは抵抗することになり、それが自分のところに来るのを妨げることになるだろう。それだけなのだ！

そのことをわたしたちは声を大にして言いたい。物事がうまくいかないと、ほかの誰かを責めたがる人間がたくさんいるからだ。他人に責めを負わせている限り、あなたは無力であり続けるだろう。他人がすることはコントロールできないのだから。他人がすることをコントロールしようとすればするほど、勝算がないことに気づくようになるだろう。どこにでも石のように頑固な人間がいるからだ。

最終的にあなたが、「望みのものが得られないのは、自分のせいだ。自分だけのせいだ。そのことで、他人に左右される必要はない。他人の態度で、自分が『欠如』に心を奪われていることがわかったら、その思考を変えればいい。必要なら、そしてもし効果があるなら、望みのものが欠如していることに集中するよう、わたしに仕向けている人物から離れればいい。そうすれば、自由になれる。自由に望みのものを持てるようになれるのだ」と認めれば、自由が訪れるだろう。

わたしたちがかなり高度なレベルの創造について話していることにお気づきだろうか？　あなたの思考、正確に言えばあなたの思考の組み合わせが、あなたが得るものに等しいと聞くと、あなたは元気づけられることもあるだろうし、脅かされることもあるだろう。自分が望むことについて、他人より確かなときもあれば、あやふやなときもあるからだ。あやふやなときはどうなるのだろう？

今まで、次のように感じたことがないだろうか？　たぶんあるだろう。あなたは自分が何を望んでいるか決断しなければならない。だが、まだ決断していない。いまだに、いろいろな選択肢を探っているのだ。二、三の選択肢には絞ったかもしれない。そのとき、どれだけ消耗しているだろう？　どれだけ疲れているだろう？　ひょっとしたら、落ち込んでいるかもしれない。朝、目を覚ましたとき、本当にベッドから出たくないと思うかもしれない。理由は、あなたのエネルギーが拡散しているからだ。あなたは自分が何を望んでいるのかわからない。だから、潜在的に強力なエネルギーが自分のなかに入ってきても、それをたくさんの方向に送り出すため、疲れるのだ。何かについて決断を下すたびに、いい気分になるのを覚えているだろうか？

いったん決断すれば、それがどんなに小さな決断であれ、あなたはふたたび充電される。なぜなら、突然、何かに「イエス」と言うからだ。迷わずに「イエス」と言うとき、エネルギーが流れる。それが「神の介入」だ。あなたがすべての思考を一つの方向に向かわせるとき、わたしたちは「成り行きに任せなさい！」と言う。すると「誰もが」背後に回り、あなたの背中を押す。大きな推進力を感じるのはそのためだ。あなたが決断すると、「宇宙の妖精たち」が全員あなたを支えてくれるのだ。そうでないと、誰もあなたに注意を払おうとはしない。千もの方向にエネルギーを送っても効き目はない。わたしの言いたいことが、わかってもらえただろうか？

質問者　わかりました。ありがとうございます。

よりよき人生を送るための10のアイデア

ジェリー　もしあなたがたが「ホウキグサ（聖書に出てくる、燃えているのに燃え尽きない草）」（聴衆：笑）で、わたしがグループの人たちのためになんらかの指針が欲しいとしたら、あなたがたはわたしたちに提供できる「十戒」を持っていますか？

エイブラハム　わたしたちには10個のアイデアがある。いろいろ理由があって、わたしたちは誰にも何かをせよと命令したりしない。どうせ聞いてもらえないから（聴衆：笑）。わたしたちが提供するのは「命令」ではなく、見本だ。このケースでは、わたしたちが楽しい生き方と認めたものを言葉で提供する。命令は普通、行動を戒めるものとして提供されるだろう？

ジェリー　「汝、殺すなかれ」「汝、他人の物をもてあそぶなかれ」（聴衆：笑）

エイブラハム　以上のように命令は何をすべきでないかを伝える。わたしたちは、何をすべきでないかではなく、わたしたちがしていることを教えてあげよう。

・真っ先に喜びを求める
・笑う種を探す
・自分や他人に褒め言葉を言う理由を探す
・自然や獣《けもの》や人間のなかに美を探す
・愛する理由を探す。毎日、朝に夕に、あなたのなかに愛を呼び覚ますものを探す

・あなたを元気づけるものを探す
・他人を元気づけるものを提供する機会を探す
・幸福感を求める
・あなたの価値は喜びに照らしてのみ、測られ得ることを知る
・これらのことをするもしないも、あなたのまったく自由であることを認める。
なぜなら、それは例外なく、日々、一瞬一瞬、あなたが選択することだから

以上が永遠の喜びのレシピだ。それは、ドラマティックで素晴らしく、創造的な人生の基盤を与えてくれるだろう。これらはあなたにとって「基本線」のように感じるかもしれない。「どれだけの成功、どれだけの称讃、どれだけの価値をわたしは今、ここで提供できるだろう?」理解してもらいたいのは、あなたの価値が、喜びに照らしてのみ測ることができることだ。

あなたが探し求めているその道にいったん乗れば、喜びが至るところに待ち構えている。わたしたちの提案の素晴らしいところは、探せば必ず見つけられるということ。それ以外にあり得ないのだ。あなたが求めるものは、必ずあなたのところにやってくるからだ。最初のものを手に入れると、二番目のものが手に入れやすくなる。二番目のものを手に入れると、三番目のものが手に入れやすくなる。要するに、すべてがお

互いにつながっているのだ。

楽しく生きる見本

ジェリー　わたしは今日、ラ・ホーヤ湾のビーチで岩の上に寝そべり、完全なエクスタシーにひたっていました。呼吸をするたび、海や海藻の香りが鼻孔を満たします。あやうく、岩から持ち上げられそうになりました。肌に当たる日差しは心地よく、そよ風が全身をなでてくれました。わたしは何も考えずに、ただ素晴らしい感覚にひたっていました。それからふと考えました。「うーん、人はこうしてここに永遠にとどまっていられるだろう。だけど、それでは、何もいいことをしないことになる。わたしたちは言葉より見本を示されることによって、いいことをするとエイブラハムは言った。わたしのように幸福なのが最高の見本に違いない。でも、わたしが幸福であることを誰も知らない。なぜなら、わたしは一人でここにいるのだから」

次に、9歳のときのことを思い出しました。おそらく冬を越せないだろうと医師は言いました。前の年の冬はアーカンサスにある小さな鶏小屋で冬を越しました。母親は別の鶏小屋に住んでいました。わたしたちの家が焼けてしまったからです。神にこう頼んだのを覚えています。「もしこの冬を越させてくれたら、将来、あなたのために働きます」そのあと、教会で働こうとしたんですが、どの教会を選べばいいかわかりませんでした。どの教会のことも、ほかの教会がよく言わなかったからです。ほかの教会がよしとする教会を見いだせませんでした。そのため教会から教会へと渡り歩き、どこで神のために働くかを決めようとしました。といっても、自分自身の教会を始めることに興味はありませんでした。そこでこう考えました。「人々を元気づけることによって、言い換えれば、人々をより幸せにし、自分や自分の身体、そして人生にもっと好感を持たせることによって、神に仕えることができるだろう」

ところが、あなたは言います。実際にわたしたちはなんの仕事もする必要がない。楽しんで幸せであれば、宇宙のあらゆる存在のために十分な仕事をしていることになるのだ、と。わたしが今日、岩の上でなぜ混乱したのか、明らかにしていただきたいんですけど？

エイブラハム　あなたは肉眼を通して見、いまだに「行動すること」が違いを生み出すと考えている物質世界の人間だ。あなたが何かを成し遂げたり、なんらかの貢献をしたりするのは、行動を通してだと、いまだに信じているのだ。一方わたしたちは、あなたが何かを創造するのは、思考とそれに対応する感情を通してだということをあなたに理解させたいと願っている。

あなたが訓練をして思考を調整し、自分の望むもののほうへ思考を導くようになれば、また自分の望むものを決定するために思考を吟味し、いったん決めたらその思考に注意のすべてを向けるようになれば、物事を引き起こすのは行動ではないことがわかるようになる。

行動は、あなたが思考を通して生み出したものを楽しむ方法なのだ。

今夜、こうして集まって考えを出し合うことによって起こっていることは、宇宙や「すべてであるもの」にとって、大半の人間がその生涯に行動をもってすることよりも価値があることを、あなたに理解してもらいたい。そうすれば、わたしたちが何を言わんとしているか、わかってもらえるだろう。この創造の場に自分の思考を惜しみなく捧げ、それに伴う感情を積極的に感じることが、創造という点から見れば、これまでにあなたがしたすべての行動より多くのことを成し遂げる。このことを理解できれば、わたしたちの考えがわかるだろう。

あなたは考えるままに感じる。必ず。そして、感じるままにエネルギーを放射する。そのことをあなたは知っている。もしあなたがイヌを怖がれば、イヌはそのことを知る。普通、あなたに噛み付くだろう。子どもに対して腹を立てているのに、優しい言葉をかけても、子どもは自分が困難に陥っていることを知る。すべての人は言葉をはるかに超えたレベルでメッセージを受け取っている。あなたは考えるままに感じ、感じるがままに輝くか影響力を発散する。それこそが違いを生み出すのだ。だからあなたが、岩の上に寝そべり、存在の輝きを浴びて、素晴らしい肯定的エネルギーを放出しているとき、「すべてであるもの」を元気づけているのだ。誰でも求めれば、自分の感じていることにアクセスできる。エスターが、「ジェリーの家のそばを車で通過するだけで、幸せを感じたものでした。家のなかに幸せがあることを知っていたからです」と言うのをあなたは聞いたことがあるだろう。世界のほかの部分には、今日、あなたと会っていないし、これからも二度と会わないかもしれないが、かつてあなたが喜びに輝いていたとき、あなたと一緒にいて体験したことの記憶によって恩恵を受けている人たちがいる。あなたは人々のイメージを心に思い浮かべ、即座に気分がよくなったり、悪くなったりすることがないだろうか？　それは彼らが言ったことやしたこととは関係ないことを知っているだろうか？　彼らが主として考えていることや、感じていることと関係していたのだ。だから、「自分の価値を見くびってはならない」とわたしたちは言うのだ。

「エイブラハム、あなたは怠惰を教えている」と多くの人たちは言うだろう。

「いや違う。どうすれば自分が満足できる方法で力強く物事を進められるかを、わたしたちは教えているのだ」とわたしたちは言う。

「じゃあ、あなたが教えているのは、自己中心主義ではないか」と彼らは言う。

「確かにそうだ。わたしたちに言わせれば、もし自分自身をハッピーにさせるぐらい自己中心的でなかったら、世界に提供する価値があるものなどあなたは何も持っていない」とわたしたちは言う。幸せでない気持ちを放出ないし放射するたびに、あなたは自分のより大きな意図に反発し、わたしたちが求めることに抵抗しようとする。わたしたちは人々の心を元気づけ、喜びをもたらしたいと願っている。地上に動物が存在する理由はそこにある。動物が存在する第一の理由は、卵や肉をあなたがたに提供することではない。動物は内なる世界の純粋なエッセンスであり、ときおり、あなたがたの影響を受けるが、大体は楽しい存在であり、気持ちのいい感情を放出し、宇宙のバランスをとっているのだ。

行動には価値がないと言っているのではない。わたしたちが明らかにしたいのは、大半の行動がより大きな意図と調和していない、ということだ。ますます多くの人々が前向きの考えからではなく、後ろ向きの考えから行動を起こしている。そのため、行動することによって、あなたはポジティブに感じるのではなく、ネガティブになりやすい。個人の話を聞いたり、統計を見たりすると、大多数の人が自分の仕事で幸福感を感じていない。仕事は一日の大半の時間を奪う。仕事をしていなくても、人々は仕事について考え、語り合い、あれこれ悩んでいる。わたしたちの観察によれば、大多数の人が不適切な思考を補うために行動を活用している。

質問者　わかりました、大多数はそうかもしれません。でも、わたしは、ジェリーから世の中に貢献したいという欲求を一貫して感じるんです。彼はそのことを問いかけ続けていますが、あなたは「心配するな、ただ、幸せを感じていればいいんだ」と言い続けています。そのことは一つのレベルではわかるんですが、一人の人間の幸福が宇宙全体にどのような影響を及ぼすかを見るための大きな構図をわたしは知りません。だけど、一人の人間の行動が強力な効果をもち得ることはわかります。それで少し混乱してしまうんです。一方であなたはジェリーに、大人なんだから何をしてもいいんだと言いながら、もう一方で、「その問題については心配するな。ただ岩の上に座って日差しを浴び、それを楽しんでいればいいんだ」と言っているように聞こえます。

エイブラハム　岩の上に座っているとき、ジェリーが「それから考えました。人はこうしてここに永遠にとどまっていられるだろう。だけどそれでは、何もいいことをしないことになる」と言ったのをあなたは聞いた。つまり、あなたは三つの意図――喜び、自由、成長――を持っているため、普通、長時間岩に寝そべっていることはせず、起き上がって、何かをしたいという気持ちになるのだ。成長への意欲があるからだ。

わたしたちがあなたにぜひ知ってもらいたいのは、いい気分でいるときが、最高のハッピーエンドに導いてくれる、偉大な発想がわくときだ、ということだ。だから、「浴びる」という言葉を使うのだ。もし、彼に、「あなたはもう十分長く横たわっていた。そろそろ起きる時間だ。ここにやるべきことがある」と言ってくれと頼まれれば、そう言うことはできる。わたしたちには、この先、何が起こるか鮮明に見えているからだ。しかし、わたしたちは彼の創造性を侵害したくないのだよ。考えてみてもらいたい。自分自身のインスピレーションに従う場合に比べ、他人のために働いたり、自分に割り当てられた任務をこなしたりすることによって、どれだけの満足が得られるだろう？　わたしたちにわかっているのは、インスピレーションが「浴びる」（肯定する）という視点からもたらされることだ。それは彼のすべての意図を満たす力を持っている。もちろん、あなたは簡単に行動に飛びつくこともできる。誰かがあなたのところにやってきて、こう言うとしよう。「わたしは今週末、地震が起きるという情報を、信頼できる情報源から得ています。科学者たちは地震計でその兆候を読み取っています。霊能者たちは星の配置にその証拠を見ているのです。占い師でもなんでもいいですが、彼女たちは水晶玉でそれを見たと言っています。そうした信頼できる情報源からの情報で、地震がくると言っているのです」あなたはその情報を真に受け、自分の命が心配なので、大きな箱に詰められるだけのものを詰めて、逃げ出す。そうすることであなたは一つの意図を満たした。だが、内なる視点から、自分が望んでいるすべてのものを突き止め、自分自身のナビゲーションシステムを活用していたら、あわてて森のなかに逃げ込んだりしないだろう。わたしたちが言っているのはそういうことだ。

「意図する」「欲する」「である」

質問者　わかりました。これは意図することについての微妙な質問です。「わたしは何かが欲しい」、例えば「健康な身体が欲しい。生き生きとした身体が欲しい」と、「わたしは生き生きとし、健康になりつつある」と「わたしは健康で生き生きしている」との間に、何か重要な違いはありますか？

エイブラハム　よろしい。あなたの言う言葉より、それを言うときにあなたが抱いている意図のほうが重要なのだ。人は皆、多少異なった意味を込めて同じ言葉を使うからだ。

欲求を示すときにどんな言葉を使うのが適切かを考えた場合、「必要とする」という言葉は除外すべきだろう。純粋に「欠けている」という立場から発せられる言葉だからだ。あなたの質問のなかには、それは含まれていない。対極にあるのが「欲する」という言葉。「欲する」ことは、あなたが本気で求めていることを意味する。「意図する」という言葉は「欲すること」と「信じること」の両方を含んでいる。一部の人にとって、欲することは必ずしも得ることを意味しない。欲しても得られないものがたくさんあるからだ。したがって、欲することは一部の人にとって、ネガティブな言葉になることもある。あなたが、「わたしはあれが欲しい……本気で欲しい」（懇願する）と言うとき、宇宙はあなたの感じていることを聞く。もしあなたが「欲しい」の代わりに「意図する」を用いれば、それは信念を含んでいるので、より強い言い方になる。それよりもさらに強い言い方は「わたしは……である」と断言することだ。その場合、あなたは自分の言うことが真実であると信じていなければならない。だが、「わたしは……である」と言っておいて、うつむきながら「実はそうではない」（聴衆：笑）とつぶやけば、あなたの言葉は効力を失い、引き寄せの作用点にはならない。わたしたちが何を言わんとしているかわかるだろうか？　どう感じるかが重要だということだ。したがって、感じたままを述べる最も強力な言葉を用い、言葉にしたことをしっかりと感じ続けるようにしてもらいたい。

質問者　つまり、わたしが本当は健康だと感じていないのに、「わたしは健康である」と言えば、問題があるということですね。そんなときにとり得る最も強力な立場は、「わたしは（健康に）なりつつある」と言うことなんですね。そうすれば、感情を言葉に一致させることができる。

エイブラハム　そのとおり。それが自分のナビゲーションシステムを活用する方法なのだ。例えば、あなたが太りすぎでかなり不格好だと仮定しよう。もっとスマートになりたいとあなたは思っている。こんな体型になりたいというモデルもいる。だが、鏡を見るたびに、モデルと自分の体型の落差に愕然とし、絶望的な気分になってしまう。そして、スマートな人を見ると激しい嫉妬に駆られてしまう。

誰かの身体や人間関係、家庭、ライフスタイル、そのほか何に対してであれ、嫉妬を感じるとき、あなたの「内なる存在」はそれを欲しいと言っているのだ。ところが、あなたは現在、それが欠如していることに思考を向けている。では、自分が嫉妬していると感じるとき、どうすればいいのだろう。転換すればいいのだ。最初あなたは「わたしは〈X〉になりたい」という比較的弱い言葉で切り出す。しばらくして転換すると、願望は強まるが、依然としてあなたは「わたしは〈X〉になりたい。わたしは〈X〉になりつつある……わたしは〈X〉になりたい。そしてわたしは〈X〉である」と言っている。そうではなく、「わたしは〈X〉になりたい。ゆえに〈X〉である」と言える地点にたどり着いたとき、あなたの願望は物質化する。というのも、そのときあなたは、見えない世界のエネルギーを一切迂回《うかい》させることなくストレートに願望実現に振り向けるからだ。回り道をしていることに気づいたら、とにかく転換すればいいのだ。そうすれば、望みのものが入ってくるようになる。それが実際には本当の仕事に取りかかるときだ。データを吟味して決めるという仕事だ。転換のプロセスはそうした決定のプロセスでもある。

あなたの信念は、バックアップシステムや一種の安定装置として働き、あなたが決断したり、創造したりするのを助ける。もし何の信念も持っていなかったら、自分に触れるすべての観念に引きずられるようになるだろう。新しい考えにすぐ刺激され、振り回されることになるのだ。そんなふうにあなたはなりたくないだろう。それは決して健全とはいえない。あなたがたが今日、ここで、頭を空っぽにして、わたしたちが言うことをすべて鵜呑《うの》みにし、言いなりになるのをわたしたちは歓迎しない。自分のなかに信念を持ち、新しい観念を調整するために使ってもらいたいのだ。それが日々、あらゆる場面であなたが決定するやり方であり、あなたが最も求めていることなのだ。

わたしたちがあなたに心から望むのは、もっと決断してもらいたい、ということだ。決断とは、すべてのエネルギーがそこに向かっていることだ。朝食やランチに何を食べるかを決めてもらいたい。あなたが満足のいくよう、状況や出来事を宇宙に整えさせてやってもらいたい。もしあなたが午後3時に約束があり、2週間前にそれを知っていたら、事前になんらかの思考を送り出し、活動を開始させてもらいたい。

思考の力と期待の力を物事に備えるために活用しよう。そうすれば、行動を省力化できるだろう。
さて、次に話したいことはなんだろう？

悪人を排除する

質問者　関連する質問がいくつかあります。全部を一度にしますので、答えを聞かせてください。「わたしたちはどのようにして悪人を得るか？」というのが最初の質問、「怖いものが何かありますか？」というのがもう一つの質問です。

エイブラハム　解き明かすのに時間がかかる質問をまとめてしてくれて感謝する。まず、「どのようにして悪人を得るか？」という質問に答える前に、少し明らかにしよう。それは、「どのようにして悪人を排除するか？」という意味だろうか、それとも、「どのようにして彼らを逮捕するか？」という意味だろうか？

質問者　「どのようにして悪人を排除するか？」にかかわる質問です。わたしも悪人の一人なのでしょうか？　もし喜びが創造の目的なら、わたしの見方からすると、これらの人間はあまり喜びを振りまいているようには思えません。でも、彼らは創造しています。きわめて直接的な道を突き進んでいるからです。彼らは自分が望むものを正確に知っています。

エイブラハム　「どのようにして悪人を捕まえるか？」という質問に答えるのが難しいのは、それがあなたの仕事ではないからなのだ。あなたは彼らの一人を捕まえることはできても、全員を捕まえることはできない。

質問者　わたしは、彼らを閉じ込めるという意味では、彼らを捕まえたくはありません。彼らはどうして生み出されたのでしょう？

エイブラハム　どうして彼らが存在するようになったかということだろうか？

質問者　どうして道を踏み外したのか、ということです。

エイブラハム　理論的に言えば、一連の意図を持っている者は誰でも、自分の意図に反する意図を持っている人たちを見ると、悪人に分類する。そのような意味では、わたしたちは全員、自分を善人だと思っているのだ。

まず、あなたは、想像し得る限りの食材（意図）がそろったキッチンに住んでいることを理解しなければならない。また、自分と同じように考え、話し、存在するよう他人を仕向けることが、ここに来たあなたの仕事ではないことを肝に銘じなければならない。実はそれが地球上にはびこっている最大の誤解の一つなのだ。多くの人が真理は一つだと信じ、それを自分が持っていると信じている——そうでなければ、それを見いだすまで、一生懸命探そうとする。彼らは自分が真理だと信じるものをみんなに吹聴したがる。「誰もがわたしたちと同じように考え、信じ、行動するなんて、ここはなんて素晴らしいところなんだろう」と彼らは言う。それは、創造者としてのあなたが知っていることに真っ向から矛盾する。唯一絶対の真理などないことを、あなたは知っているからだ。それに、あなたの思考を刺激するのは「違い」であることもわかっている。

思考が刺激されるところでは、永遠に成長が続く。それに対し、画一性が支配すると、終末に向かって歩むことになる。

そのことを理解すれば、もはやあなたは自分に同意しない人たちを押さえつけたいとは思わないだろう。彼らは力を持っているが、あなたの経験には入り込んでこないからだ。彼らがあなたの経験に入り込んでくるのは、あなたが彼らを気にしてあれこれ考え、彼らについて心配したり、彼らを抑えつけたりすることで、彼らを呼び込むからにほかならない。

したがって、自分の経験から悪人を締め出したかったら、彼らに注意を払わないようにすればいいのだ。あなたには、彼らを消滅させるだけの力も意欲もない。彼らだって、あなたと同じように、選択し、存在する自由があるのだ。おわかりだろうか？

質問者　わたしの言う悪人とは、わたしとは異なる意図を持った人物だということですね？

エイブラハム　そのとおり。

アドルフ・ヒトラーについて考える

質問者　それでは、アドルフ・ヒトラーの立場に立って言うと、彼は一つの意図を持っていて、みんなが彼に同調しましたから、彼は善人だったということになりますが。

エイブラハム　そのとおりだ。彼は「宇宙の法則」を活用した人物でもあった。一つのことだけを考え、最後までその道からそれなかった。彼の思考はきわめて強力だった。

彼が創造することに力を発揮したのはそのためだ。

だが、理解してもらいたいのは、あなたが今、犠牲者と見なした人たちが、何の決断もしなかったわけではない、ということなのだ。彼らも選択をしたのだ。

彼らの悲劇的な状況は彼らの怠慢によって生み出されたものだった。別の角度から述べてみよう。あなたが望みもしないのにつらい目にあったとしよう。そんなとき、「自分自身の経験の創造者はあなたなのだ」というわたしたちの言葉を聞いたら、あなたはこう反論するだろう。「だけどエイブラハム、わたしはこんなことを自分にした覚えはないんです。つらい目にあうのが嫌でたまらないのに、自分でやるわけがありません。外部にいる力を持った誰かがやったに違いありません」これに対して、わたしたちはこう言う。「あなたが故意にそれをやったとは言わないが、自分でやったことは間違いない」と。このように、知らず知らずのうちに「引き寄せの法則」を働かせ、自分で望んでいない状況を引き寄せてしまうことを、わたしたちは「惰性による創造」とよんでいるのだ。

過去の歴史上の出来事をうんぬんするのはそれほど容易なことではない。当事者たちがどんな意図を持っていたかが漠然としており、簡単には推し量れないからだ。

もしあなたが当時の人々のなかに混じっていたら、彼らが受けた試練をどうして受けることになったのか理解していただろう。ただ、はっきりしているのは、ヒトラーの手で死ななかった人たちや、試練を免れた人たちもいた、ということだ。

恐れる必要があるものは何もないのか?

質問者 では、恐れる必要があるものは何もないのですか?

エイブラハム まったくない。ためになる話をしてあげよう。感情は二つしかない。気分がいいか、悪いかだ。そうした感情を抱くとき、何が起こっているかで、いろいろなおび方をされる。例えば、恐怖の感情は「これは重要な問題だ。あなたが考えていることは、あなたが望んでいることと調和していない」と告げるネガティブな感情にすぎない。何か別のことを考えれば、その恐怖は引いていくだろう。「望まないことが起こるのは、それを引き寄せる物事に思考を向けるからだ」ということに気づくと、もう悪いことは起こらなくなる。

何かにとてもおびえている自分に気づいたとしよう。そんなとき、思考を変えて、気分よく感じることができるなら、恐れを引き寄せるのをやめたのだ。

あなたは物事が瞬間的に顕在化する次元には生きていない。これは、ほとんどの人にとってラッキーなことだ。瞬時に物事が顕在化する次元では、「笑い死にするかと思ったと言ったとたん、あの世に行ってしまうからだ（聴衆：笑）。「首の骨を折るかと思った」と言ったとたん、首の骨が折れたら大変だろう。思考を送り出すプロセスが長いのはいいことだ。言い換えれば、「引き寄せの法則」を働かせるには、思考がきわめて強力でなければならない。思考が強力になるかどうかは、あなたがどれだけそれに注意を注ぐかにかかっている。

もしあなたが一生何かについて思い悩んで過ごせば、遅かれ早かれ、それがあなたの身に起こるのが普通である。少しの時間でも、何かに強く集中して過ごせば、よきにつけ悪しきにつけ、それを生み出すことができる。

質問者　感情を手がかりにして、自分が実際に焦点を当てているものを積極的に知ることが、成功や、望みのものを手に入れる鍵だということですね？

エイブラハム　そのとおりだ。普通、それは三つの基本的問題に行き着く。自由と成長と喜びだ。ほとんどの時間、ネガティブな感情を感じているとすれば、それはあなたの自由が侵害されている証拠だといっていい。誰かにあることをやってはいけないと告げられているか、自分の能力を信じてもらえないと感じているのだ。あなたが感じるネガティブな感情の大半は、自由と関係している。今夜、ここに集まっているのは、熱烈に自由を求めるユニークな集団だが、誰もがあなたがたと同じように、熱心に自由を求めているわけではない。それゆえ、自由を多少制限されても、それほど抑えつけられているとは感じない人たちもいる。他人の行動の理由が理解しにくいのはそのためだ。例えば、歴史物のドキュメンタリーでドイツの強制収容所に送られた人たちを見たら、きっとあなたは「どうしてそんなことがあり得るのだろう？　かなり強烈な状況だったに違いない。選択の余地なんか一切なかったのだろう」と思うかもしれない。というのも、あなたはそのような立場にいる自分を想像できないからだ。ましてや、両手両足を縛られて引きずられる感覚など、想像しようがない。わかってもらいたいのは、彼らがなぜそんなことを許したのか、あなたには理解できない、ということだ。そのとき、彼らがどう感じていたか、理解しようがないからだ。一部の人は本気で真剣に自由を求める。だから、一瞬でも自分たちが自由でないと感じることがあると、すぐに色めき立つ。他方に、自由をそれほど気にかけない人たちもいる。そういう人たちは手足を縛られて引きずり回されても文句を言わない。そして、そのことにネガティブな感情も抱かない。自由への欲求がさほど強くないのだ。一方が他方よりも優れているとか、進化していると言いたいのではない。いろいろな進化の状態があると言いたいのだ。

最初のころ、彼（ジェリー）からされたほとんどの質問に対して、わたしたちは「それはあなたの仕事ではない」と答えていた。「悪人をどのようにして排除したらいいでしょう?」といった類の質問が多かったように思う。彼は自分自身ではなく無垢な人たちを悪人から守りたいといつも思っていた。ただいろいろな人間がいるだけで、悪人なんかいないことを彼に納得させるまで、ずいぶん話し合った。

自分が何を望んでいるか知りたい

質問者　全然違う二つの質問があります。一つはいわば個人的レベルのもの、もう一つはもっと普遍的なレベルのものです。わたしは、過去、3年から6年、あえて自分を不幸にさせることをやってきたように思います。そしてついに、9ヶ月ぐらい前のことですが、煮詰まってしまいました。精神的にも肉体的にもすべてが嫌になり、投げ出す決心をしたんです。過去9ヶ月、いろいろなことを整理してきたんですが、あなたが決断する意図について話すのを聞いて、自分はまだ決断するに至っていないと感じています。これまでしてきたこととは、きっぱり決別したいんです。でも、その後の空白を埋められる地点まで達したとはまだ感じられません。いまだに成長して、自分が何をしたいのかがわかるのを待っているという感じなんです。わたしはいろいろなことを器用にこなしますが、これといって秀でたものはありません。「これだ、これならわたしにできる」と決断するにはどうしたらいいか、導きを必要としています。わたしは現在、何もしていません。そのことで、どんどん落ち込んでいます。自分が何を望んでいるのかわからないとき、どのようにして決断を始めたらいいのでしょう?

エイブラハム　よろしい。そう感じているのはあなた一人だけではない。わたしたちが、「あなたがたは力を持っており、自分で選んだものはなんでも持てる。望みさえすれば、なんにでもなれるし、なんでもできるのだ」と言うと、大体、今のような質問をされる。あなたが望むものを既に知っていれば、以上の言葉は刺激になるが、もし知らなければ、負担になり得る。自分が、力やエネルギーを無駄にしているかのように感じるからだ。

あなたがそんなふうに感じるのは、何をすべきかを自分で決めなければならないと信じている典型的な物質世界の人間だからだ。だが、先ほども述べたように、「すること」を決める前に、まず、十分なデータを集めることのほうが重要なのだ。でないと、後ろ向きに創造することになる。

行動を重視する今の社会では、ほとんどの人が後ろ向きに創造する。「これをしたら、あれが手に入り、幸せになるだろう。この仕事をすれば、お金が入り、望みのライフスタイルや目的感覚が得られ、幸せになれるだろう」と考えるのだ。たまに、そうしたやり方がうまくいくときもある。特に、長い間、喜びを求めることを考えている場合はそうだ。しかし普通は、すぐに行動に飛びつく人々は、(あなたと同じように)自分の人生が望んでいたようなものではなく、喜びとは無縁であることに気づき、「どうしてわたしはこんなことをしているのだろう?」と疑問に駆られる。そのため、「家を掃除」して、一部のものを捨てたい気分になる。あるいは、あなたが言ったように、全部を投げ出したい気持ちになる。だから、安易に行動に飛びつかず、思考を通して創造し、存在の核から出発してもらいたいのだ。

あなたは、今夜、わたしたちが「内なる存在」について話すのを聞いた。「内なる存在」とわたしたちがよぶのは、それがあなたの内部に存在するからだ。それは一つの存在状態のなかに存在する。一部の人は、「エイブラハム、あなたはどこに住んでいるんですか? あなたのいる場所を教えてください」と尋ねる。場所は物質的だが、わたしたちは形を持たないのだと答える。わたしたちは「場所ではない場所《ノンプレース》」に住んでいる。「もし故郷の惑星を持っていないとしたら、あなたは何物にも値しないに違いありません」と何人かの人が言うので、わたしたちはこう言った。「少なくとも、自分の視点から考えるな。わたしたちの視点に立てば、わたしたちは大変うまく配置されている。あるいは、場所ではない場所にいると言うべきだろうか。わたしたちは一つの存在状態のなかに存在しているのだ」

あなたは「内なる存在」と永遠につながっている。したがって、「内なる存在」を認め、それが楽しく、自由であり、成長し続けることを理解すれば、それがあなたの戻る場所であることを理解するのも難しくない。つまり、「すること」が混乱したら、「存在すること」に戻ればいいのだ。自分が何をしたいのかわからないのだから。

自分がしたくないことを、あなたはたくさん知っている。自分がしたくないものを突き止めたとき、立ち止まって、「なぜこれをしたくないんだろう？」と自問すれば、心の声が聞き取れるはずだ。普通、「それをできるほど自由だと思えないから」「それが十分な可能性を持っているとは感じられない。自分が停滞しているように感じる。わたしは成長していない」「それはわたしを幸せにしてくれない」といった思いが浮かぶはずだ。ときに、それらの思いが混じり合って浮かんでくることもある。

これは自分が望んでいないことだと強く感じるとき、あなたは自分が望むものを知る最高の入り口にいる。誰かがあなたに無礼なことをしたり、あなたをののしったりしたら、あなたは自分が何を望んでいるかがわかる。あなたはそれとは違うことを望んでいるのだ。あなたは評価されること、怒られるのではなく愛されることを望んでいる。だから、ネガティブな感情を覚えたら、一瞬立ち止まって次のように考えてもらいたい。「この根っこには何があるのだろう？　わたしに何が起ころうとしているのだろう？　わたしは自由だとは感じられない」

「代わりに何ができるだろう？」と自問してはならない。なぜなら、何をすべきか決めようとすると、そのとたん、すべての障害物を片づけてしまうからだ。「やっぱり、あれをすることはできない。でも、あれの代わりにこれならできる」何をすべきか決めようとしたとたん、あなたはネガティブな感情を補う行動に走るのだ。

「すること」から一歩退いて、「わたしは自由でありたい」と言ってもらいたい。それから自由の感覚を思い出すのだ。ジェリーが述べた、ビーチに寝そべっていたときに戻り、自由と喜びの感覚を思い出してもらいたい。しばらくそれを思い出していれば、アイデアがひらめき始めるだろう。

文字どおり、自分が手に入れたいものがひらめくだろう。自分の思いどおりになっていない仕事、家庭、人間関係があるなら、ネガティブな気持ちになった瞬間、立ち止まって、こう言おう。「わたしが手に入れたがっているものとはなんだろう？　ここに欠けているものはなんだろう？　わたしが求めていることを指し示している欠落とはなんだろう？」何かが欠けているという理由で、ネガティブな気持ちになるたび、いつでもあなたは、自分が何を望んでいるかを割り出すことができる。それがわかったら、気分がよくなるまで、それに注意を振り向けてもらいたい。それが転換するということだ。

転換は、自分の人生で起こっている否定的な物事を活用し、自分が手に入れたいものを突き止める助けになる。それが物質世界における人生経験が果たす役割であり、「悪人」の価値なのだ。悪人は、あなたが何を好んでいるかを突き止めるための触媒になる。自分の気分を害する人たちと相互作用していれば、どうすれば気分がよくなれるかに気づけるのだ。専門的な言い方をするなら、身体的な病気の兆候をわたしたちは非常に助けになるものと見なす。なぜなら、病気のときほど健康を切望するときはないからだ。病気がきっかけで、ジム通いを始めたり、食生活を変える決心をしたり、自分自身のためにもっと意図的に働き始めたりする人が多いのではないだろうか？

繰り返しになるが、ネガティブな気持ちに駆られたら、それがあなたのためにしようとしていることをさせてもらいたい。あなたが本当に望むものを明らかにするということだ。すべてを一度に解き明かそうとしてはならない。

最も重要なのは、ネガティブな場所からハッピーエンドを見いだすことはできないことだ。あなたはネガティブな気持ちに駆られる場所にいて、幸せを見いだすことはできない。不幸な旅をハッピーエンドに持っていくことはできないのだ。それは法則に反する。「あらゆる逆境のなかには、それ相応の利益の種が宿っている」と言われるのはそのためだ。今の経験のなかに喜びをもたらすものを探し、未来の苗床に幸せの種をまいてもらいたい。「見果てぬ夢を見よう。不幸のなかに希望の兆しを、悪のなかに善を探そう。あらゆる経験には、ためになる側面が必ずある」とは言っても、無理強いするつもりはない。わざわざつらい経験を探しに出かける必要はないからだ。心地よくなるために、わざわざ指を噛むことはない。わたしたちが勧めているのは、あらゆる人生経験に価値を認めるということだ。ほかに質問は？

人間はこの惑星を破壊できるか？

質問者　先ほどあなたは、悪人を排除するのは、わたしたちの仕事ではないと言いました。世界の状況にわたしたちは責任を負っていないとも言いました。また、何かにもっと注意を向ければ、それをもっと生み出すと述べました。それを聞いて、環境問題やオゾン層に開いた穴のことが思い浮かびました。地球や環境を破壊しないような生き方を人々に教えるのは、わたしたちの責任ではないのでしょうか？

エイブラハム　あなたは地球を壊すことはできない。どんなに一生懸命壊そうとしても。前にも、あなたよりもっと破壊的な人がたくさんいたのだ。

あなたの創造性のレベルでは、地球を破壊する能力を持てないし、これからも持つことはないだろう。そのことをあなたはどう思う？

質問者　20個の水爆が爆発したらどうですか？

エイブラハム　あなたが混乱を引き起こせないとは言っていない。だけど、あなたはこの惑星を破壊することはできない。大火山は一部の地域を荒廃させるが、その後、来るべきもののために、そこを前よりも快適なところにするのだ。地球は絶えず新しい皮膚を再生し続けている。あらゆる種類のことが起こっているのだ。地球そのものが、独自のバランスを探している存在なのだよ。あなたがたはイヌの背中にへばりついているノミのようなものだ。イヌを深刻な状態に陥らせるほど、あなたがたは多くない（聴衆：笑）。心配しなくていいのだ。

質問者　わたしは個人的に、よいことをすること、他人を助けること、罪のない人を守ってやることを務めの一部とする環境で育ちました。ジェリーと同じです。それなのに、あなたはすべて放っておけとおっしゃるのですか？

エイブラハム　そうじゃない。それがあなたの意図なら、そうした行動をあなたはひらめくだろうと言っているのだ。だが、他人に何かをするのをやめるべきだと説得しようとすれば、他人の自由を侵害することになるだろう。

あなたが影響力を持ったり、信じているものを持ったりすることが価値のないことだと言っているのではない。影響力を持つのは、人生における最も輝かしい経験の一つだ。あなたは他人がたくさんいる環境のなかに生まれた。なぜなら、影響力を振るいたいと願っているからだ。ところで、あなたは何を目的として、影響力を振るいたがっているのだろう？　喜びの状態へ向かってである。

理解してもらいたいのは、喜びをもたらすものはいろいろあるということ。物質世界の人間が最も頻繁に道を踏み外すのは、あなたを喜びの状態に導くために、どんな振る舞いをすればいいかを命令したがることだ。そうすることで、あなたの自由を侵害していることに気づかないのだ。あなたは自分自身で喜びへの決断をするためにここにいるのだ。

例えば、生態系や地球環境の改善を、声を大にして訴える人たち、そういう人の大半は、わたしたちが今述べたような人たちのいい見本である。きわめて大胆な発言と受け止められるかもしれないが、彼らは自分自身の意図を支えるために、生態系の危機を訴え、あなたがたを抱き込もうとする。それが資金を稼ぐための手っ取り早い方法になるからだ。もしエコロジーに本気で貢献をしたかったら、生態系の危機に注目してたくさんのお金を費やすより、望んでいる状態を視覚的に思い浮かべるほうがいいだろう。

平和を本気で願うなら、戦争反対のキャンペーンをする代わりに、平和な状態を視覚化したほうがいいだろう。ほとんどの人は状況のマイナスの面に焦点を当て、改善しようとして逆にその状況を長引かせる。健康を主張する医者は、病気に関する宣伝をすることによって、誰よりも多く病気を生み出している。テレビの電波を通して、統計をちらつかせ、身体が傷つきやすく、危険にさらされやすいと訴える人たちは、視聴者たちに影響を与え、病気にかかりやすくしているのだ。大半の人はそれを否定し、「わたしは人々を助けたいと思ったから医師をしているのだ」と言う。ところが、結果はその反対なのだ。ガンについて語れば語るほど、ガンにかかりやすくなるのだ。エイズに関する出版物が増えれば増えるほど、エイズになる人が増え、身体のもろさを話題にすればするほど、そのように感じる人が増え、傷つきやすくなる。

あなたは世界をどのように変えたいのだろう?　あなたが目指す究極のトロフィーはなんだろう?　美しい家だろうか?　美しい車だろうか?　美しい人間関係だろうか、それとも美しい地球や大気だろうか?　あるいは幸福な状態だろうか?　究極のトロフィーは喜びの感情だ。確かに、以上に挙げたものはすべてあなたの喜びの状態を高めるが、あなたは外側の問題を攻撃することによって、喜びの状態にたどり着くことはできない。わかってもらえただろうか？

質問者　わかりますけど、悪いことが全然ないふりをすれば、それらを消滅させることができるとおっしゃっているような気もするんですが。

エイブラハム　そのとおりだ。「エイブラハム、あなたは見て見ぬふりをしろと言うんですか？」そこがポイントなのだ。あるいは、こう言ったほうがいいかもしれない。あなたは一つの世界に生きてはいない。一つの次元を共有し、人間の数ほどある別個の世界で個人的に創造しているのだ、と。

物質世界でのあなたの経験は知覚的なものだ。オゾン層の破壊があなたにどのような影響を与えているか考えてみてもらいたい。あなたの人生経験にどんな違いを生み出しているか教えてほしいのだ。トマトが赤くならない？　日焼けの仕方が違う？　どうだろう？　わたしたちはあなたの個人的な経験について話しているのだ。あなたを従わせることでなんらかの利益を得ている人々によって巧みに操作されている知覚的経験のことを話しているのではない。オゾン層があなたの経験にどんな影響を及ぼしているか知ってもらいたいのだ。

質問者　影響していません。

エイブラハム　さらに、オゾン層が「劣化」などしていないことを理解してもらいたい。オゾン層の「劣化」をうんぬんするのは、小さな少女を見て、こう言うようなものだ。「君に芳しくないことが起ころうとしている。皮膚が引き伸ばされようとしているのだ。今のままではいられないだろう。君はだんだん大きくなっていくんだ。それにつれ、身体のなかのものも変わっていくだろう」成長することをそんなふうに言われたら、子どもはきっと怖がるだろう。オゾン層の変化も、地球の進化の一面にすぎない。それなのになぜ、そのことで自分自身を怖がらせるのだろう？　なぜ地球が進化し、バランスをとろうとするのを放置しないのだろう？　なぜ自分がここにいるかにもっと心をくだかないのだろう？　思考の向きを変えることで、いろいろな経験を生み出すためにあなたはここにいるというのに。

さっきの悪人の話題に話を戻そう。あなたがたのほとんどは、成長する過程で、いくつかの段階を通過する。最初、あなたの世界は非常に小さく、満たされている。おもちゃ箱のなかにあるものに、もっぱら心を奪われているからだ。それから大きくなって少し膨張すると、外の世界に出ていく。そこで、人々は何が悪いことかを語り、あなたがたを比較し始める。そのためあなたは安心できず、自分の世界の安全性が脅かされているように感じ始める。さらに大きくなって学校に行くようになると、トミーが自分とは違ったサンドイッチを食べていることに気づき、この子はあの子の髪を引っ張ったから悪い子に違いないと考えるようになる。行動を比較し、自分自身が比較されていることに気づくようになると、あなたは善悪や正しいことと間違ったことの判断を下し始める。あなたに理解してもらいたいのは、「すべて」が正しいけれど、だからといって、「あなた」がそれを経験しなければならないということではない、ということだ。

わたしたちは、あなたの宇宙を食材がそろったキッチンと見なす。例えば、あなたがこのキッチンで今日、アップルパイを作る決心をしたとしよう。そこで、リンゴ、シナモン、砂糖、ショートニング（ケーキに入れるバターやラード）などを取り出し、混ぜ合わせて、とてもおいしいパイを作り上げる。想像していたとおりの上出来のパイだ。実際、あなたはそれがうまいと決めつけていたので、ほかのものを食べたいなどとは思っていない。あなたの立場からすると、キッチンでほかの食材を探す理由はないのだ。ところが、誰かがタバスコに手を伸ばすのを、あなたはたまたま目撃する。「なんという悪いやつだ」とあなたは思う。「彼はまったく価値のないものを求めている」あなたはグループを組織し、国を挙げてキャンペーンを行う。そして、キッチンからタバスコを追放する決定を下す。なぜなら、あなたはそれを個人的に使っていないからだ。それゆえ、誰もそれを使う者などいないに違いないと思うのだ。

ここがわたしたちの本当に伝えたいことだ。やや誇張しているのはわかっている。タバスコと戦争を同一視するのは難しいだろう。タバスコの好き嫌いなら許せるが、戦争に関しては、誰でも戦争ではなく、平和を求めるべきだとあなたは信じているからだ。しかし、わたしたちが言いたいのは、あなたは他人の目を通して見ることができないということなのだ。

政治家は、口ではなんと言おうと、平和より戦争のほうにより多くの注意を払っているとわたしたちは確約する。彼らの最大の懸案は経済である。経済こそ政治家を政治家たらしめているものだからだ。よって、誰かが言うことに惑わされてはならない。彼らの行動を動機づけている意図をあなたは理解していないのだから。

すべてを直すことの不毛性があなたに伝わっただろうか？　あなたはこの短い人生の間に、原因を突き止めることさえできない。ましてやそれらの問題のいずれにも貢献できるはずがない。せいぜいあなたは、あちこちにほころびを見いだし、いら立ちを募らせるだけだろう。そして、「わたしはあの人たちを助けることができない。たくさんいすぎるし、彼らは考え方がめちゃくちゃだ」と言いながら死んでいくことになるだろう。

目の前にある美に注目するだけで、あなたは、荒唐無稽な夢も及ばないような、嬉々とした至福の経験をすることができる。自分が見たいものを見てもらいたい。美しいチョウや小さな子どもの笑顔や友情の美しさを見てもらいたい。自分が見たいものに集中し、いい気持ちになれば、さらにいいものを引き寄せる磁石になる。

わたしたちは、友人のジェリーとエスターが場所から場所に楽しそうに飛び回っているのを見ている。はたから見ている人々は、彼らが「ネバー・ネバー・ランド」に住んでおり、現実感を欠いていると考える。「よろしい」とわたしたちは言う。現実とはなんだろう？　あなたの現実とは、存在するものの知覚にすぎない。

今夜、ここに集まったあなたがたはともに一つの経験をしている。だが、どこにも同じような経験はないと約束する。わたしたちがここで分かち合っていることは、あなたがたの個人的な信念や意図とかかわっているからだ。今起こっている出来事そのものよりも、今夜までにあなたが経験したことのほうが、今のあなたの経験に影響しているのだ。

だから、ここに集まっている人たちが家に帰り、今夜ここで起こったことを題材にしてそれぞれが本を書いたとすれば、まったく異なることを書くだろう。そのため、読者はあなたがたが同じ場所にいたとは思わないだろう。読者がそれをほかの者に伝え、伝えられた者がまたほかの者に伝えていったら、それはどんどん違うものになっていくだろう。そうした違う視点はすべていいのだ。なぜなら、すべての人が同じように物事を見ていたら、たった一つの存在しか生まれなかっただろう。もしたった一つの視点で十分だったら、もし目標がたった一つの視点を持つことだったら、あなたはここにはいないだろう。

この素晴らしい次元を素晴らしいものにしているのは、完璧なバランスであり、「違い」なのだ。直す必要がないとわかれば、ホッとしないだろうか？「直すのはあなたの仕事ではない」とわたしたちが言えば、肩の荷が下りるのではないだろうか？「お望みなら、直すことに挑戦してもいい。すべてをかけてやってみなさい」とわたしたちが言ったら、いい気分にならないだろうか？

大切なことについて話してもらいたい。自分が望むところに確実に影響力を発揮してもらいたい。しかし、欲求不満の立場からではなく、喜びの立場からそうしてもらいたいのだ。

すべてを直そうとすると、喜びではなく欲求不満を感じるのが普通だ。だから、ジェリーに言うのだ。岩の上に寝そべって喜びを感じているとき、あなたは、チラシを配って避けられない大きな戦争が起こることを人々に納得させようとしている人たちより、肯定的な影響を与えているのだ、と。そのような人たちが不調和を広めているのに対し、あなたは調和を感じており、それを広めているからだ。要点をつかんでもらえただろうか？

関節炎について考える

質問者　わたしは関節炎に苦しめられています。自分の身体をコントロールできていると感じているんですが、もう少し助けが必要です。

エイブラハム　あなたの発言を修正したいと思う。あなたは自分の身体をコントロールしたいと強く思っている。実際にそれができたら、関節炎に悩まされなくなるだろう。少し唐突だと思われるかもしれないが、わたしたちがあなたの発言に注目したのは、そこに望みを達成できない理由を解く鍵があるからだ。あなたがスケープゴートを探している理由もそこにある。あなたは自分でも気づかないまま、スケープゴートを探しているのだ。

多くの人がわたしたちにこう言う。「エイブラハム、これは間違っているに違いありません。あなたは何か重要なことを言い忘れているのです。わたしは長い間、これを求めていますが、一向に望みがかなえられません」わたしたちに言わせれば、あなたはときどき自分の言葉で自分をだましているのだ。あなたが「欲する」と言うとき、実際には、「それがないから必要だ」という意味で言っている。それが問題なのだ。

宇宙は英語を話さない。わたしたちが戯れている「宇宙の妖精たち」やあなたにすべてをもたらす「宇宙の法則」は、思考のかたまりとそれに対応する感情に応える。「欲する」「意図する」「知る」「である」——いずれの言葉を用いるにしろ、宇宙が反応するのは、あなたがどう感じているかに対してなのだ。だから、あなたが「欲する」と言ったとしても、違うふうに感じていれば、あなたはその感情に見合うものを得ることになる。

あなたがたは、とてもよくやっている。身体は誰もが興味を抱く対象なので、わたしたちは大げさな言い方をしているのだ。

あなたの「内なる存在」は、あなたの身体を自覚しているし、あなたが身体についてどう考え、何を願っているかをすべて知っている。あなたが自分の思考によって、今、引き寄せているものを文字どおり引き寄せていることも知っている。

もし現在、あなたが過去の思考のせいで、自分で望んでいないことを経験しているなら、それについての思考を変え、あなたが求めている安らぎをもたらしてくれるエネルギーに注意を集中すればいいのだ。

つま先がズキズキ痛んでいるのに、健康な足に注意を集中しろと言っても、簡単なことではない。足のことを考えれば考えるほど痛みがより強く意識されるからだ。ただ、そうした経験から、痛みが実際には知覚的なものだということをあなたは理解できるだろう。どんなに痛んでも、痛みは常に一定しているわけではなく、薄れるときもあれば、まったく感じられなくなるときもあるからだ。注意を払っていれば、ほかの考えに没頭しているとき、最も痛みを感じないことにあなたは気づくだろう。痛みが浮上してくるのは、主としてほかのことへの関心が薄れたり、身体的に疲労したりするときだ。

身体が正直に思考に反応することを受け入れることができれば、あなたは痛みではなく、気分のいいことに思考を向けるだろう。もし何かが痛んだら、ホッとできるものについて考えてもらいたい。そうすれば、大きな安らぎが得られ、一定の時間がたてば、完全に痛みは消滅するだろう。

どんなに悪くなっても、完全に機能を回復できない器官は一つもない。一つも。たとえ、身体の一部を失っても、身体は偉大な柔軟性と補償能力を持っている。というのも、反応を生み出すのは、身体の器官ではなく思考だからだ。もちろん、一部の器官を切除すれば、いろいろなことが経験できなくなることは認める。だが、それはきわめて極端なケースだ。思考と身体の関係はとてもシンプルなのだよ。

性転換について考える

質問者　もう一つ、性転換にかかわっている人をどう考えているかお聞きしたいんですが。

エイブラハム　その話題に関してはたくさん言いたいことがある。それは広範な要素を含んだ話題なのだ。あなたは、それが正しいか、間違っているかという意味で、尋ねているのだろうか？

質問者　いいえ、どのようにして決断すべきかということです。

エイブラハム　この場合も、〝裏返しの創造〟で、まず喜び、自由、満足、幸福感を探すことに注意を向けるよう言いたい。それから、通常の関係を望んでいるのか、特殊な関係を望んでいるのかを突き止めればいいのだ。そうすれば、どう行動すればいいかがひらめくだろう。

わたしたちは、物議を醸しているこの件も含め、どんな事柄でも、他人の意見を気にするなと言いたい。あなたが決断する理由を他人は理解できないのだから。

格好の例を紹介しよう。カリフォルニア州に住むある素敵な女性が、わたしたちのCDを聞き、電話でエスターやジェリー、そしてわたしたちと話をしたあと、テキサスに尋ねてきた。初めてジェリーとエスターの家を訪問した彼女は落胆した。彼らの地所がほんの1エーカー（約40アール）しかなく、1600平方フィート（約144平方メートル）ぐらいの家に住んでいたからだ。宇宙のパワーにつながり、エイブラハムの言葉を代弁する人たちだから、彼女の幸せのイメージをすべて満たしてくれる夢のようなところに住んでいると想像していたのだ。彼女は風光明媚な土地の出身で、美しい海を見下ろす素晴らしい邸宅に住んでいた。彼女の言うことを聞いて、落胆しているることを知ったエスターは、他人の承認を求める人たちと同じように、一瞬、自分を認めてもらえないような気がしたが、すぐにバランスを取り戻し、この家を入手する前に夫と一緒に打ち立てた一連の目標を思い出した。この地所は、彼らが抱いた目標のすべてを満たすものだった。だから、ただそこにいるだけで、うれしくなるのだ。エスターは、「人の意図を理解していない者は、同じ経験をしても、同じ感謝の気持ちを感じることはできない」ことを初めて鮮明に悟った。

さて、セクシャリティの問題に話を戻そう。問題の根底には、社会が適切と認めることに反抗し、自分独自の自由を求める決断がある。自分が自分の経験の創造者であることをはっきり認識し、そのことを教えている教師はたくさんいる。彼らは、人間が社会に自分を合わせるためにここにいるのではなく、自分自身の意図を満たすためにここにいること、したがって、他人の目など気にする必要がないことを理解している。つまり、人間はお互いの自由を制限する権利など持っていないということだ。

ところが、現状はうまく機能しているかといえば、そうではない。周りを見回してほしい。あなたがたは、自分たちの宗教的、政治的な戦争を正当化しようとして、お互い、大量に殺し合っている。あなたがたは言う。「これらが正しいルールだ。お前らはこれらのルールに従っていない。だからお前たちの首をはね、国をつぶすのだ」

性転換を行う人たちというのは、見えない世界の「内なる存在」の視点から見て、大変力を持った人たちである。彼らは、自由であることを希求し、ほとんど不合理といえる異常な環境の下でも、個人的な創造者でありたいと願っている。彼らが、身体に宿ったとき、既にそうした決断をしていたと言うつもりはない。ただ、自由への希求が非常に強かったので、そのような行動（性転換）がひらめいたのだ。なぜなら、それが自分たちの自由を見いだす手段だったから。ところが不幸なことに、彼らのほとんどはその自由を見いだせなかった。そのため、承認を求める欲求に駆られるようになった。だから、自分の秘密をオープンに語りたがるのだ。「わたしたちはそれに拍手を送る」「わたしたちはそれに賛成する」と言ってほしいのだ。他人に承認を求められることを、彼らは最も毛嫌いしていたはずなのだが。わかってもらえただろうか？自分がしていることの承認を他人に求めても、承認してもらえず、ネガティブな気持ちになるのが関の山なのだ。

つまり、こういうことだ。あなたがたの仕事は、自分自身との調和を見いだすことであり、他人がそれをどう思おうと関係ない。そのことを認識すれば、あなたがたはもっと幸せな経験をするようになるだろうし、すべての人にとってはるかに価値のある人間になれるだろう。

エスターは母親にエイブラハムと仕事をすることの喜びを伝えようとしたが、逆に母親を怖がらせてしまった。同じ経験でも、一方の人には至福の喜びをもたらすが、他方の人には著しい恐怖をもたらす。それぞれの人が心のなかに抱いている信念によって違うのだ。エスターが母親にエイブラハムのことを理解させようとしても、事態を悪化させるだけにすぎない。逆に母親がエスターに、エイブラハムがいかに悪者かを理解させようとしても、関係を気まずくさせるだけなのだ。そんなときは、二人ともその話題から一歩退き、自分たちが望んでいるのはお互いに仲良くし、安全な話題について話すことだという事実に注目すればいいのだ。「お天気はどう？　鶏はどう？　娘はどうしてる？　父親はどうしてる？　あなたはどうしてるの？　幸せなの？　あなたのことをしょっちゅう考えてるわ。あなたをとても愛してる。一緒に過ごしたすべての時間に感謝しているわ。あなたがわたしに与えてくれたものはとても大きかった。なにかにつけ、あなたのことを毎日思ってるわ。家のなかを見回すと、あなたがくれた美しいものが至るところにあるの。お母さん、あなたのことを思うと、愛の気持ちに満たされるわ」エスターは母親のなかに見たいものに焦点を当てれば、調和を引き出すことができる。母親はエスターのなかに見たいものに焦点を当てれば、調和を引き出すことになる。いずれかが、二人の正気を失わせることに焦点を当てれば、二人ともひどい経験をすることになるだろう。

何事につけ、他人の同意を取り付けようとするのをやめ、まず自分との調和を図り、あなたが彼らとの調和を求めることで、彼らもあなたとの調和を見いだせるよう仕向ければ、あなたは心地よい場所に入れるだろう。

バースコントロールとセックスについて考える

質問者　話題を先に進めて尋ねたいんですが。変な気分です。それはセックスのことです。わたしはずっと混乱しています。つまり、セックスはなんのためにあるかということです。わたしたちはセックスなしでやっていけないんでしょうか？　セックスは妊娠を引き起こすものなんですか、それとも、ただそんなふうに言われているだけなんですか？

エイブラハム　いや、セックスは実際に妊娠を引き起こすものだ（聴衆：笑）。しばしばセックスという行為は、それ以前の長い思考の連鎖によって触発される。ある女性が本気で赤ん坊を欲しくなりセックスをするが、なかなか子どもを授かれないとしよう。その場合、セックスは彼女の願望をいっそう募らせるものとなる。だが、万事がうまくいくには、そこまで願望が強くならなければならないのだ。セックスが何のためにあるかというと、本当は、種の永続化のためにある。それが生来の深く根ざした欲求であるのはそのためだ。

質問者　では、バースコントロールは悪なんですか？

エイブラハム　種の一員である人全員が、セックスに興味を持つことが重要だとは言っていない。つまり、なかには……そうか、セックスは赤ん坊を授かるという目的のためだけにあるとわたしたちが言っていると思っているんだね。そうではなくて、セックスはわたしたちの経験を高めるためにあると言っているんだ。それに種の永続化も含まれているんだ。バースコントロールは悪いことではない。赤ん坊を授かることなくセックスをするという決断なのだから。

質問者　それで、一部の人はそれを悪だと考えているんですね。

エイブラハム　一部の人は、たくさんのことを悪だと考えている。わたしたちは、何事も悪いとは思わない。すべてが選択だと考えているんだ。つまり、あなたは絶えず選択しているということ。ちょっとそのことを追求してみよう。

質問者　あなたは、「どうしてこんな質問をするのか？」と思ったでしょう。セックスはいろいろな問題を引き起こしているように思えるんです。

エイブラハム　ネガティブな感情を生み出しているのは、つねに、「欠けている」ということへの注意なのだ。セクシャリティはゆがめられてしまったため、価値や正義がないがしろにされているという感覚を生み出す。それは非常に込み入った問題だ。

質問者　セックスは単に物質世界の経験の一つだということですね。それは善でも悪でもない。ただあるだけだと。

エイブラハム　そのとおり。ほかのあらゆる経験と同じで、あなたがどのような期待を抱くかによって、よいものにもなれば、悪いものにもなる。

二人は共同創造するために一体となる。別の言い方をするなら、二つの心が一緒になるときには、いつでもそこにより大きな思考の貯蔵庫がある。グループを形成するのが満足をもたらすのはそのためだ。二つの思考がぶつかるとき、満足をもたらすことも、もたらさないこともあり得るのと同じように、セックスも満足をもたらすことも、もたらさないこともあり得る。あなたは調和を探し求めている。真に満足のいく性体験は、調和を求めて二人が一体になるときにもたらされる。そのとき、二人は身体的な表現によってお互いを高め合う。どんな体験でも二人が一緒になると、一人のときよりはるかに満足のいくものとなる。他人を元気づける存在として、幸せであることは素晴らしいことだが、幸せな他人と一緒にいるほうが、もっと素晴らしいのではないだろうか？　他人と喜びを分かち合えば、喜びがさらに拡大される。そのような意味でセックスは、物質世界の二人の住人が、物質的な方法で、一人のときよりもっと大きな喜びを経験できる手段となる。クライマックスやエクスタシーがあるのは、二人が調和の内に合体するとき、1＋1が2の何倍もの喜びをもたらすからにほかならない。わかってもらえるだろうか？　セックスは最高の楽しみをもたらし得るものだ。ところが、ほとんどの人はそのような楽しみを享受していない。それは、「ないもの」に注意を奪われているからだ。行為しながら、自分が何か悪いことをしていると信じているのだ。こんなはずじゃなかったと思っているのだ。通常の環境の下で、二人が調和していないということもあるだろう。それが混乱の最大の原因なのだ。ほかのすべてのことで調和していない二人は、性的に合体しても調和を見いだすことができずに驚く。セックスは肉体的な行為というより、精神的要素が大きいのだ。
したがって、肉体だけではなく精神的にも、情緒的にも気の合った同士でセックスをすれば、エクスタシーが得られる。

質問者　ありがとうございます。

エイブラハム　これは長々と論じるのにもってこいの話題だ。探求すべき多くの側面があるからだ。だが、わたしたちが取り上げたのは最も大切な面だと言っていい。混乱の原因は、「欠如」にばかり注意を奪われること。常にそうではないだろうか？

フラダンスを踊った夜

質問者　マーガレット・ミード（アメリカの文化人類学者）は、思春期から性行動はあっても、カップルが結婚するまで妊娠しない文化を発見しました。彼らは妊娠しないと固く信じていたのです。

エイブラハム　そのとおり。彼らの信念が彼らの経験に影響を及ぼしたのだ。間違いない。彼らは性的な事柄に関しゆがめられていなかったので、非常に波長が合っていた。婚外で妊娠したくないという彼らの欲求は、妊娠する可能性があるときには、性交渉したいという気にさせなくしたのだ。言い換えれば、それは、彼らがフラダンスを踊った夜だった。

ジェリー　エスターの身体は今夜、少し下降ぎみです。

エイブラハム　う……む。

ジェリー　もう、だいじょうぶです……（聴衆：笑）。

エイブラハム　わたしたちはエスターから強力な同意を得ている。セッションが始まる前、くつろいで座って呼吸しているとき、彼女のなかであるプロセスが起こり、こう言うのだ。「エイブラハム、あなたの言葉をはっきりとしゃべりたいわ。これが、わたしやここにいる人たちを元気づける経験になることを願っている。わたしは元気づけてもらいたいの。楽しみたいの。これがわたしの身体にいい経験であってほしいの」それに対してわたしたちは何度も「わかった」と言う。だから、あなたがたは心配する必要がない。エスターを使っての動きは、エネルギーが彼女を貫いて流れるのを維持するわたしたちの方法であり、ヘトヘトに疲れさせるものではない。だが、休憩をとったほうがよさそうだ。

ジェリー　確かに、そうですね。そうしましょう。

エイブラハム　じゃあ、休憩にしよう。

（休憩）

エイブラハム　さて、何について話そうか？

問題児たちとのワーク

質問者　エイブラハム、あることについて話したいんです。わたしが混乱していることです。エイブラハムの観点からすると、わたしの焦点はネガティブなものに当たっているように思います。わたしは問題児と見なされている若者たちと仕事をしています。やっかいな子どもたちという烙印を押されている、人口の１パーセントを占める子どもたちです。エネルギーの多くは否定的なものなのですが、それでも、わたしにとってそれは本当に大切な仕事であるような気がするのです。

エイブラハム　まったくそのとおり。あなたの観点から見ればもちろんのこと、彼らの観点や「すべてであるもの」の観点から見ても、それは大切なことだ。

それについてひと言言わせてもらいたい。あなたにとって大きな助けになるだろう。もしあなたの知らない誰かが電話をかけてきて、「あなたとは二度と会わないだろう」と言ったら、あなたは、「気にしない」と言うだろう。つまり、その人物がいなくてもあなたは少しも悩まないだろう。なぜなら、最初から会いたいという欲求などなかったからだ。あなたがネガティブな感情を覚えるのは、それがあなたにとって大切な問題だからだと、言いたいのだ。

極端に否定的な行動をとる人物と出会ったら、あなたはそのことをわたしたちと一緒に祝い、こう言っていいかもしれない。「これは素晴らしい。なぜなら、この人物は願望を抱いているぞ」

わたしたちは、「気にしない」という人物より、極端な行動をとる人物とかかわりたい。願望は意図的な創造の始まりであるのに対し、「気にしない」人は何の意図も持たず、力を発揮できないからだ。あなたが現在相手にしているような否定的な行動をとる人を前にしたら、わたしたちはこう考える。「大きな願望を抱いているのをわたしたちは知っている。現在、彼らは望んでいるものが欠如していることに注意を集中している。だから、そんなにも誇張されたネガティブな感情を抱いているのだ。彼らが望んでいるのはなんだろう？」そのようにして、彼らが望んでいるものを思い描き始めると、彼らを助ける言葉がひらめくのだ。

彼らは非常に賢く、ほとんどの場合、大きな力を持っている。この時期、彼らがこの世に出てきたのは、違いを生み出したいと望んでいるからだ。彼らは、ほとんど意図的ではないが、大量のデータベースをもたらしてくれるあらゆる種類の経験を選んできた。そのため、自分たちが望まないことについては実によく知っている。将来彼らは、多くの人たちよりもはっきりと、自分が望むことを語れるようになるだろう。

彼らがあなたの話を聞くとき、あなたに望んでいるのは、あなたがいなくなって、放っておいてくれることなのだ。実際、彼らがあなたに望んでいるのは自由である。あなたの存在そのものが、少しだけ彼らを脅かすのだ。だから、激しく抵抗するのだ。彼らは自分たちをまともな人間にしようとするいかなる権威にも抵抗する。まともにしなければならない点などないと感じているからだ。彼らは自分たちがいるべきところにいると思っており、ほかのすべてをまともにする必要があると感じている。そのことにわたしたちはさほど不賛成ではない。というのも、彼らは自分の信念に従って生きる姿勢だけではなく、他人を許容・可能にする包容力も持っているからだ。本当に彼らは普通の人たちより自由で、他人を許容・可能にできるのだ。その包容力は、「敬われている」市民が彼らを許容・可能にするレベルをはるかに超えている。したがって彼らは、あなたがたのほとんどが考えるよりはるかにいい場所にいる。彼らのことをそのような新しい目で見れば、あなたを大いに助けてくれる言葉やプロセスがひらめくだろう。

わたしたちは彼らに、エスターに言うようなことを言いたい。エスターが涙を流しそうになるほど圧倒されたと感じたとき、わたしたちはこう言った。「何を望んでいるの？」彼女が述べた最初のことは、彼女が望んでいないことだった。これはきわめてありふれている。あなたは質問を繰り返すことになるかもしれない。「あなたが望まないことはかなりはっきりしている。わたしが話したいのは、あなたが望むことだ」彼らはあなたに生意気なことを言うかもしれない。「いなくなってもらいたいんだ。ここから出たいんだ。放っておいてもらいたいんだ」

そのときにはこう言ってフォローしよう。「わたしはあなたを少しも責めていない。あなたが言ったことは大変賢い発言だと思う。あなたの気持ちを素直に語ってくれてうれしい。世間の多くの人はそんなふうには言わない。あることを言っても、腹のなかでは違うことを思っているのだ。だから、あなたが本当に思っていることを言ってくれて感謝している。なぜなら、正直にコミュニケーションするまで、お互いにお互いのためにはなれないから」その後、再び「今、何を望んでいるの？」と尋ねるのだ。

再び彼らは望んでいないことを言うだろうが、それを聞いてもらいたい。話すより聞くことに専念してもらいたいのだ。彼らの言うことを聞けば、彼らが望んでいないことの鮮明なイメージがつかめるだろう。それが、彼らの望むことの鮮明なイメージをもたらすだろう。そしたら、彼らにこう言えばいい。「あなたは自分が望まないことをはっきり述べてくれたけど、自分が望むことをストレートに言ったことがないんじゃない？　望んでいることを素直に言ってみたらどう？」

「なんの違いがあるんだい？　自分が望むことを言っても違いはないさ」と彼らは言

うだろう。

「違いがあるかどうかにかかわりなく、わたしはそれを知りたいの。あなたが何を望んでいるか知りたいのよ。あなたは自分が望まないことを語ってくれた。わたしはそれを尊重する。今、あなたが何を望んでいるか聞きたいの」そうやって彼らに語らせ、彼らが望んでいないことを考えるたびに、その対極に望んでいることがあることを知る習慣をつけさせてもらいたいのだ。

やがて、彼らはあなたを訪問するのを心待ちにするようになるだろう。自分が望まないことを話していると、不愉快な気分になるが、自分が望むことを話していると、気分がよくなることに気づき始めるからだ。気づかざるを得ないのだ。誰でも心の底では気分がよくなりたいと思っているので、彼らはあなたとの交流を、気分のいいことと見なし始めるだろう。したがって、それは追いかけるべきものとなるだろう。あなたはもはや脅威でも抵抗すべき権威でもなくなり、同盟者や理解者になるのだ。

あなたは彼らが何かをするのをやめさせようとはしていない。彼らを導いて、自分が望んでいるものを突き止めさせたいと思っているのだ。それができれば、自分が望まないことではなく、望むものを引き寄せることができるからだ。

あなたは何かを創造するのをやめることはできない。そのことを知っていただろうか？　どんなに一生懸命努力しても、何かを創造せずにはいられないのだ。何かほかのことを創造し始めることはできる。けれども、存在するのをやめることはできない。自分自身を提供することをやめることもできない。あなたは存在することをやめられないのだ。

誰かに何かをするのをやめさせたかったら、ほかのことに注意を向けさせればいいのだ。ほかのことを始める、一つの行動をほかの行動で取って代わらせる、一つの思考をほかの思考で取って代わらせる、一つの感情をほかの感情で取って代わらせるといったことをすればいいのだ。おわかりだろうか？　これはあなたにとって大きな助けになると信じる。

世界の好ましくない諸問題に焦点を当てる

質問者　ありがとうございます。二番目の質問は……、わたしはワーナー・エアハート・アソシエイツ社とたくさん仕事をしています。あなたがたがそれを知っているかどうかわかりませんが、基本的にそれはあなたがたが話していることと同じ世界の諸問題に焦点を当てています。でも、今夜、聞いていることから察するに、その多くがネガティブなものです。つまり、世界の飢餓の問題を扱うときも、危機にある若者の問題を扱うときも、ネガティブな面に焦点を当てる、ということです。

エイブラハム　再三言うが、ネガティブな感情があるときには常に、大きな願望があることを示している。だから、ネガティブな感情をもたらしているもの、つまり問題に焦点を当てるのをすぐにやめ、解決策にすべての注意を振り向ければ、ネガティブな感情を持たなくなる。あなたがネガティブに感じるのは、問題に焦点を当てるときだけなのだ。解決策に焦点を当てれば、気分がよくなる。

質問者　素晴らしい、ありがとうございます。

エイブラハム　いい気分でいる限り、あなたは自分自身を助け、他人を助けている。よろしい。

宇宙はあなたの思考のかたまりに反応している。ときどき、あなたは自分をごまかす。心にもないことを言うのだ。例えば、子どもに「愛しているわ」と言いながら、腹のなかでは、「お前の首を絞めて殺したいわ。お前のしていることにカッカしてるの」と思っているのだ。だが、あなたが何を言おうと、子どもはあなたが腹のなかで思っていることを知っている。宇宙も同じなのだ。

人を喜ばせて自分を見失う

質問者　わたしは人を喜ばせるのが好きな人間です。人を喜ばせることに一生懸命なんですが、そうしていると、自分を喪失したように感じるんです。わたしは義務を果たすことにかけてはとてもうまくできるんですが、欲求を押し通すことに関しては、駄目なんです。先日、ある催し物に出かけたとき、誰かが近寄ってくるのが見えました。ＹＭＣＡのキャンペーンを手伝ってくれとわたしに頼もうとしているんだとわかっていました。それで、自分自身に、「ノーと言え」と言って聞かせたのですが……。

エイブラハム　「イエス」と言った。

質問者　30秒もしないうちに、「イエス」と言ってしまいました。どうすればこうした傾向を変えられるのでしょう？　どうすれば人を喜ばせようとするのをやめ、自分の欲求に従えるようになれるのでしょう？

エイブラハム　物質世界のほとんどの人がそうだが、あなたも無意識に行動する傾向があるので、それを修正するには多少の転換が必要だろう。言い方を変えるなら、行動の立場からはそれを修復できないということだ。あなたが「ノー」ではなく「イエス」と言った理由は習慣化した行動にある。「ノー」という考えはその瞬間に思い浮かんだものにすぎないが、「イエス」と言う決断は長年続いてきたものなのだ。

あなたのなかで優位を占めている意図は他人を喜ばせることである。あなたの行動は常にあなたのなかの優位な意図に従っている。だから、行動を変えるためには、優位な意図を変えなければならない。自分自身を喜ばせることを第一の意図にするのだ。実はそれが今夜の集まりの目的だったのだ。今夜話したことの大半は、自己中心主義を見直し、自分自身を喜ばせてもだいじょうぶだということを知ってもらうためのものだった。

ほとんどの人は自己中心的であることを悪いことと見なす。人々が「あなたはとても自己中心的ね」と言うとき、そこには、そうした態度を改めるべきだというニュアンスが込められている。他人は、自分が自己中心的に望んでいることをあなたがしてくれないとき、あなたを「自己中心的」だとよぶ。わたしたちが「あなたは喜びに満ちた素晴らしく自己中心的な存在だ」と言うとき、次のようなことを意味している。あなたは自分の目を通す以外見ることはできない。自分を楽しませていないなら、あなたはネガティブなエネルギーを放出している。ネガティブなエネルギーを放出していると、とにかく元気になれない。

ここで、このシナリオを少し広げることができないかどうかを見てみよう。わたしたちは、あなたの双子の一人ともいえるある女性の身体を通して話しているからだ。彼女は、誰が何をやっているか全員が知っているような小さな町で生まれ育った。他人の噂話を聞いているうちに、彼女は、しばしば自分が話題に上っていることに気づくようになった。自分の行動が注目されていることを知った彼女は、以来、人々を喜ばせたいと思うようになり、何をしていても不幸に感じるようになった。人を喜ばせることなどできないことを悟ったからだ。

今、あなたは習慣から「イエス、イエス、イエス」と言い、それを後悔している。それゆえ、自分に頼み事をした人を責め、コーナーに追いつめられたかのように感じている。あなたは、本当は「ノー」と言いたいことに「イエス」と言い、それを後悔する。そのためネガティブな感情に満たされる。たとえあなたが、するべきだと信じていることに「イエス」と言ったとしても、言わなかったとしても、それは否定的なことになってしまう。というのも、ネガティブな恨みの感情に満たされているからだ。

対処法を教えてあげよう。他人と交流する集まりに行くときには、楽しく過ごそうという意図を示してもらいたい。楽しむという意図を持つことから始めるのだ。自分はこう感じたい、こうありたいということをまず考える。「わたしは楽しいときを過ごしたい。はっきりものを言いたい。気分よくしていたい。強いと感じたい。自信を持ちたい……」自分が感じたいと思っていることを、口に出して言ってみるのだ。数秒でできるだろう。次に、何を「持つ」かを考える。「わたしは元気になる会話を持ちたい」どのような場所に出るにせよ、自分が何を「持つ」かを知っていたほうがいいだろう。それを明確にしておけば、自分が満足する方向へと進む力が得られる。そうすれば、誰かがあなたのところにやってきて、気の進まない頼み事をしたとき、あなたは次のように答えるだろう。「わたしのことを考えていただいてとてもうれしく思います。本当に感謝します。あなたにこれを頼まれるなんて、大変光栄なことですが、わたしは今、たくさんやるべきことを抱えています。今は、それらの重要な課題を片づけたいと思っています。これ以上、仕事をお引き受けすると、エネルギーが拡散してしまい、あなたのためにも、自分のためにもいい仕事ができないでしょう。だけど、どうもありがとうございます」それを聞いた相手は気分をよくするだろう。あなたが頼まれたことを光栄に思い、十分な感謝の気持ちを示したからだ。あなたも逃げているようには感じないだろう。もしそのような感情を抱けば、相手にも必ずそれが伝わるに違いない。気分をよくした相手は、自分の力の感覚を保ったまま、次のように言いながら去っていくだろう。「彼は非常にいい人だ。きちんとした断る理由を持っている」次のようには考えないだろう。「あのナマケモノめ。その気になればできただろうに」

あなたの意図的創造には二つだけ障害物がある。述べるに値するのは二つしかないのだ。一つは他人からの影響、もう一つはあなた自身の習慣だ。

あなたは常に「イエス」と言う古い習慣を持っている。あなたにとって有害なことにも「イエス」と言う習慣があるのだ。あなたにはまた他人の承認を求める習慣がある。そのため、その二つの障害物があなたの人生経験のなかにしっかり組み込まれている。

それを取り除くには「節目ごとの意図確認」をすればいい。自分が望むことをもっと意図的に行うようにするのだ。

あなたは混み合ったショッピングセンターや空港ビルのなかを、行くあてもなく歩いて通り抜けたことがあるだろうか？　ただぶらつくのだ。どれだけ多くの人があなたの道をふさぎ、どれだけの人がぶつかってくるかわかるだろうか？　あなたは小突き回される。しかし、同じ状況で、目的を持って歩いたらどうなるだろう？　人々があなたの道から外れてくれることに気づくだろう。物事の流れのなかにいると、すべてが思いどおりにできるかのように感じるのだ。あなたは機敏さを楽しんでいる自分に気づくだろう。わかってもらえただろうか？

そのような違いを生み出すのが、「節目ごとの意図確認」なのだ。新しい節目——あなたの意図が塗り替えられる時間枠のこと——に入ったことに気づいたら、立ち止まって、こう言えばいいのだ。「この節目でわたしが感じたいと思っていることはなんだろう？　わたしは何を持ちたいだろう？　何をしたいだろう？」そうすれば、望みのものがすぐにあなたのほうに引き寄せられてきて、あなたは他人の影響力に足をすくわれないだろう。もしあなたが意図を持たなければ、他人の意図があなたに力を振るうことになる。それが法則であり、自然の勢いなのだ。要点をつかんでもらえただろうか？

よろしい。見えない次元からやってくる強力なエネルギーはあなたがたすべてのためにある。それをどう活用するかが、あなたの経験に影響を及ぼす。

あなたが望むことと期待することとがすべて同じ方向に向かえば、あなたは大きな力を持ち、誰もあなたを思いとどまらせることができなくなる。あなたの意図と調和しない人は「誰も」という意味だ。それはいいことである。なぜなら、あなたは自分と波長が合う人を引き寄せ始めているということだからだ。冒頭にあなたが述べたエピソードに戻って言うなら、ちょうどそのとき、あなたはＹＭＣＡのキャンペーンを手伝いたいと望んでいるかもしれない。その晩、「あいた時間がある」と思いながら会合に行くと、誰かがまっすぐ自分のほうに近づいてくる。あなたは彼を受け入れて言う。「お会いできてうれしいです。わたしにしてもらいたいことが何かあるんですか?」すると彼は言うだろう。「あなたがそんなふうに言うなんて変ですね。わたしもたった今、頼み事をしたいと考えていたところなんです」。要点を理解してもらえただろうか? 何か言いたいことがあるかな?

ネガティブな話題を変える

質問者 誰かがある話題にしがみついているとき、それから注意をそらさせる最良の方法はなんでしょう? 自分と関係のある人物で、無視できない人です。彼らがある話題をしつこく持ち出すんです。それに対処する最良の方法は何でしょう?

エイブラハム 彼らに反対しても効き目がないことを、あなたは既に発見した。反対すると、さらに強い抵抗を彼らのなかに生み出すだけだからだ。それは「引き寄せの法則」が働いている証拠なのだ。

わたしたちならこうする。誰かがわたしたちの楽しめない話題を取り上げていて、怒っているゆえ、彼らもまた楽しんでいないことに気づいたら、ネガティブな感情を感じているので、彼らの「内なる存在」が彼らにきわめて大切なことを伝えようとし

ている と理解する。

感情は「内なる存在」からのナビゲーションであり、見えない世界のエネルギーをどのように使っているかを知らせるものであることをあなたは理解している。気分が悪いときは、あなたが自分の望むことに刃向かっていることを「内なる存在」は告げている。気分がいいときには、自分が望む方向に向かって歩んでいることを告げている。あなたが友人や他人を見て怒りを感じたら、彼らの「内なる存在」が彼らにきわめて重要な二つのことを告げていると考えていいだろう。一つは、それが彼らにとって重要な問題だということ。普通、それは彼らの自由または成長を侵害するものだ。大体、そのいずれかなのだ。彼らの「内なる存在」が告げているもう一つのことは、「あなたは自分が望むものに刃向かっている。自分が望む方向とは反対の方向を向いている」ということだ。あなた自身がネガティブな感情を覚えたとき、それを止めるには、「わたしは自分が望んでいないことに焦点を当てている。わたしは何を望んでいるのだろう?」と自問すればいい。自分が望んでいないことを感じているときほど、自分が望んでいることを知るのに適したときはない。

このケースでは、友人がネガティブな感情に引っかかっているわけだから、友人のために「転換する」といいだろう。まず、「わたしには彼の怒りが見えるから、これが彼にとって重要だということがわかる」と言うのだ。次に、彼が本当に望んでいる方向とは逆の方向を向いていることも知っている、と自らに言い聞かせよう。そしたら、一歩退いて内なる観点から「バランスをとる」作業をするのだ。「彼はどのように感じたいのだろう？　彼は自由を感じたいのだと思う。この問題で、彼は自由を感じていない。閉じ込められたかのように感じているのだ」と口に出して言い、一瞬、自由な彼を思い浮かべ、彼が手に入れたがっているものを想像するのだ。そして、彼が望んでいるもののイメージを引き出したら、彼のために、宇宙の見えないエネルギーを彼が望んでいるもののほうに集中させるのだ。

もし彼に対抗することで、エネルギーを分裂させていないなら……言い換えるなら、もし現在、いい気分で、この先もそうした気分が続くようなら、あなたの力はすべて一つの方向に向かっており、彼を救ってやれる可能性が高い。だが、もし彼に対抗しているなら、あなたは現在、彼とともに下降する渦に巻き込まれている。その場合、自分を救う方法は、自分独自の道を行くか、思考の流れを止める眠りにつくことだ。ただ眠った場合、目を覚ますと、思考が止まったところからまた再開するケースが多い。だが、要点は理解してもらえただろう。それが転換のプロセスであり、自分を優先させ、その後で他人を助ければいいのだ。

一人の若い父親がわたしたちに電話をかけてよこし、こう言った。「息子がおねしょをするんです。おねしょするには大きすぎます。ほとほと手を焼いているんです」「朝、子どもの寝室に入っていって、ベッドを濡らしていることに気づいたとき、どんな気持ちがしますか？」とわたしたちは尋ねた。すると若い父親は、「がっかりしてから、怒りを感じます」と答えた。「そんなとき、何と言うの？」とわたしたちは尋ねた。「こんなことをするには、お前は大きすぎる。前にも言っただろう。濡れた服を脱いで、シャワーを浴びなさい、と言います」と彼は答えた。「あなたはおねしょを永続させている。なぜなら、息子が望んでいないことに波長を合わせているからだ」とわたしたちは言った。

ネガティブな感情を感じるときにはいつでも、あなたは自分が望んでいないことを永続させている。「転換するといい」とわたしたちは言った。「転換とはなんですか？」転換とは、自分が望んでいないことから、望んでいることへ焦点を切り替える方法だ。転換したことは、気分がよくなることでわかる。

「朝、息子のベッドルームに入っていって、またベッドを濡らしていることがわかり、気分が悪くなったら、立ち止まって、自分が何を望んでいるか探ってみてもらいたい。あなたが望んでいるのはどんなことだろう？」とわたしたちは言った。すると彼は言った。「息子が目を覚まして、当惑や羞恥を感じるのではなく、幸せな気持ちで目覚め、自分を誇らしく思えるようになってもらいたいんです。すっきりといい匂いがする部屋と、不機嫌ではなく機嫌のいい息子を望みます」「よろしい、少しそんな息子の姿を思い浮かべてもらいたい。そのような視点を持てば、あなたの口をついて出てくる言葉は次のようになるはずだ。『だいじょうぶ、これは成長することの一環なんだ。パパたちもみんなこういうことを通過してきたんだ。お前はすごく早く成長している。さあ、濡れた服を脱いで、シャワーを浴びておいで』」この若い父親は2週間後に電話をしてきて、息子のおねしょがやんだことを報告した。

あなたが、友人のなかの嫌いな部分に注目したり、友人が自分のなかで嫌っている部分に注目したりするとき、あなたは友人の「おねしょ」を永続させているのだ。

あなたは話していないときでも、思考を放出していることを知っているだろうか？すべての人は思考のかたまりによって、言葉よりも多くのコミュニケーションを行っている。人は言葉によってだます術を学んできた。露骨に嘘をつくことや、意図的にだましあうことを言っているのではない。言葉を用いて、知らず知らずのうちにだましあったり、自分をあざむいたりすることがあると言っているのだ。例えば、あなたは何かが「欲しい」と口先では言っておきながら、宇宙に向かって、「それを持っていないのは当然だ。持つ資格がないのだから。それほど賢くないのだ」と言ったりする。つまり、口先と心のなかで、別のことを言っているのだ。

「内なる存在」は、あなたが宇宙に向かって述べたことに反応し、それに見合う感情を生み出す。あなたは何かを望むと同時に、気分が悪くなることはあり得ない。だが、望んでいるものが欠如していることに焦点を当て、気分が悪くなることはあり得る。それが法則だ。転換はあなたの人生経験で最も重要なプロセスだといってもいい。人生のデータを吟味し、今、自分が望むものを決めるプロセスだからだ。気分がよければ、あなたは望んでいる道にいる。気分が悪ければ、「バランスをとる」過程にあるが、不幸な事態を招く方向に向かっている。だから、立ち止まって、後退したほうがいい。

大半の物質世界の人々は後ろ向きに人生に取り組む。「わたしは何をすべきだろう」と人々は言う。あなたが考えるのは、「何をすべきかわからない」ということだけだ。その言葉をわたしたちは毎日聞く。そして、もし何をすべきかわからなかったら、行動する準備が整っていないとわたしたちは言う。

何をすべきかわからないということは、「じっと突っ立ったまま何もするな」ということを意味する。動き出すのは、行動がひらめいたときだ。そうでないと、あなたの行動は完全に非生産的なものになる。いずれにせよ、物事を引き起こすのはあなたの行動ではなく、意図である。宇宙へと滲み出した意図が物事を引き起こす。大抵の人は非常に忙しく、行動に埋没しているので、疲れ切って圧倒されている。そのため、「時間が足りない、お金が足りない、愛が足りない……」といった否定的な思考だけがあなたから出ていく。その結果はどうだろう？　あなたはヘトヘトに疲れ、十分なお金を持っていない。愛してくれる人も十分にいない……それがまさにあなたが頼んでいることなのだ。わかってもらえただろうか？　だからわたしたちは休暇をとるように勧めるのだ。気分がいいところに行って、気持ちを切り替えるのだ。それが大転換だ。

気分がよくなり始めれば、いいことが起こるようになる。そのときになって初めて楽しくて満足のいく行動がひらめくだろう。友人と争うのは決して答えにはならない。よろしいだろうか。

行動を通しての存在証明

質問者　行動についてもっと尋ねたいのですが。これまでの人生を通して、わたしは行動が自分の存在証明になると考えています。

エイブラハム　大抵の人はそう考えている。

質問者　物質世界では、行動が求められてきたに違いありません。でなかったら、わたしは物質世界に生まれてこなかったでしょう。

エイブラハム　そのとおりだ。だがあなたは行動を目的に向かう手段とは見なさなかった。自分が思考を通して創造した創造物を楽しむ方法と見なしたのだ。知ってのとおり、物質世界の人間はすべてを逆さに考える。物事を引き起こすのは行動を通してだと考えるのだ。そしてあなたは今、物事を引き起こすのが、存在状態を通してだということを理解しようとしている。存在状態から、行動がひらめくのだ。行動は存在状態を高めるものだ。

輝かしい願望に従ってよどみなく行動するのは素晴らしいことだ。だが、「欠如」という溝を埋めるために、重い荷物を背中に背負った小さなアリのように働くのは、それほど輝かしいことではない。それがあなたの学んできた世界なのだ。あなたが学んできた世界は大体、行動を通して存在を証明しようとする。そのことをもっと詳しく見てみよう。

あなたがた物質世界の人間は、行動することによって、自らの経験の正当性や自らの存在を証明しようとする。そのことから、「ひとかどの人物になりたかったら、一生懸命働かなければならない」「働かざる者、食うべからず」「痛みがなければ進歩はない」といった考えが生まれる。あなたは成長を追い求めているゆえに、また、痛みがなければ成長がないと信じ込まされているゆえに、自分の経験を正当化しようとする。別の言い方をするなら、傷つかなければ、自分には価値がないと思っているのだ。

理解してもらいたいのは、理由のいかんにかかわらず――成功の探求、自分の価値の探求、自分の経験の正当化、そのほかどんな理由があるにせよ――、あなたが傷ついているときには、間違った創造の仕方をしている。痛みを感じているときにはいつでも、自分が望んでいないあらゆる種類の物事を人生経験に招き寄せているのだ。

わたしたちが話しているのは、役に立たない古い習慣を役に立つ新しい習慣で置き換えることだ。それは、新しい節目に入ったことを認識したら、立ち止まって、「わたしはどう感じたいのだろう？　何を持ちたいのだろう？　この節目で何をしたいのだろう？」と問う習慣だ。そうやって行動がひらめくのを待つのだ。こうしたことはすべて前にも話したはずだ。今、あなたは何を考えているだろう？　もっと聞きたいことがあるだろうか？

「欠如」を踏み台にして洞察を得る

質問者　何年も前になりますが、わたしはぞっとするような欠如感を感じていました。それによって急にある状態に投げ込まれたのですが、あなたがその相関関係を明らかにしてくれたおかげで、以前になかった洞察を得ました。

エイブラハム　よろしい。あなたは今、「欠如」を自分が望むものを得る踏み台と見なしているのだから、「欠如」しているという立場から、自分自身をいじめるつもりはないわけだ。

質問者　そうです。

エイブラハム　富を追い求めている一人の男を思い浮かべてもらいたい。物質的な富のことを言っているのではない。ただし、あなたの身の回りにあるすべてのものは物質的なものだから、それを出発点にしたほうがいいだろう。彼は富を追い求めているが、富を持っていない。彼は富を持たない地点から持っている地点にどうすれば行けるだろう？　自分が持っているものにいい感情を抱き、それを富と認めればいいのだ。乏しい１００ドルをポケットに突っ込み、それがいかに貴重かを認識すればいいのだ。「わたしはこんなにも豊かになれるのだ」と、自分が裕福だと感じられるようになるまで言い続けるのだ。そうすれば、裕福感を味わえるだけのお金がまたたくまに入ってくるだろう。そのうちに、自分が１００ドルしか持っていなかったときを振り返り、なぜそんなに富を渇望したのか思い出すのに苦労するようになるだろう。だが、今の立場では、富は彼の目に魅力的なものとして映っている。

わたしたちが言いたいのは、どんな状況下であれ、ほかと比較すれば気分を損なうことになる、ということだ。逆に、あるがままの自分を受け入れ、気分がよくなることを探せば、肯定的なものを引き寄せる中心になれるのだ。そうすれば、障害を越えて進んでいける。

比較は死の罠だ。それはほとんどの敗北や失敗の出発点であり、中間点であり、終着点である。あなたをネガティブな感情の場所に引き止め、ネガティブなものを引き寄せる場所にとどまらせるからだ。どんな行動をもってしてもそれを補うことはできない。そんなことは不可能なのだ。あなたの感情はあまりに強力で、打ち消すことなどできないのだ。

例を挙げてみよう。自分に肯定感を持ちたいと願っている人を見たことがあるだろう。それはあなたがたが生まれながらに持っている欲求だ。自分を評価できれば、幸せな感情が自分からあふれ出す。それが素晴らしいから、人は自分を評価したがるのだ。自分を評価したいという願望を持っていると、ときおり幸運にも、既に自分のことを評価している人間を人生に招き寄せることがある。あなたに与えるものを持っている人間だ。彼は自分を評価することで、あなたを評価することができる。それが、「引き寄せの法則」によって、あなたから評価されているという感情を引き出す。「ああ、評価されるのは気持ちのいいことね」とあなたは言う。でも、あなたは依然として何が起こったか理解していない。彼があなたからそうした感情を引き出したことがわからないのだ。そのため、あなたは承認を求めて走り回る。承認を追い求めるあなたは、他人が素晴らしいことをするのを見て、自分が劣っていると感じる。目の前に、素晴らしいことをする人、非常に美しい人、豊かな財産を持っている人——つまり、あなたにない何かを持っている人——がいるからだ。自分にはないものに心を奪われたあなたは、「ないこと」に焦点を定め、欠如感に襲われるようになる。この場合、それをあなたは嫉妬とよぶだろう。嫉妬を覚えると、自分にないものを持っている人に対して批判的になる。「あの人物がそれを望む(それになる、それをする)のは不適当だ」というのも、あなたとやり方が違うからだ。相手を素晴らしい人物だと見なさなければ、自分が劣っているという気持ちは消えうせるだろうとあなたは考える。それが今の社会にはびこっている態度だ。現代はきわめて批判的な社会なのだ。他人を評価しなければ、自分の評価が上がるという不毛な希望を持って、他人を評価しない理由を探すのだ。そんなことをしても自分の評価が上がらないのをわたしたちは知っているし、あなたもすぐに気づくだろう。

評価を生むのは評価だ。言い換えるなら、より多くの評価を引き寄せるには、何かである程度の評価を得ていると感じなければならない。

結局、どんな状況下でも、「対等の利益の種を探せ」ということに行き着く。それらの数少ない言葉で、あなたがたの友人ナポレオン・ヒルはすべてを語った。この蓋然性の海のなかで、あなたが得てきたものを見、自分を気分よくさせてくれるものに注意を集中せよ、と彼は言っている。だが、あなたは欠点を探す癖がある。最大の欠点はあなた自身のなかにある。その欠点ゆえに、自分で自分に頭にくると、周囲の人たちも巻き込んでしまうのだ。宇宙全体に対しても、あなたは同じことをしているのだ。

鍵となるのは「どう感じたいか」から出発することだ。あなたはよく、「何をすべきかわからない」と言う。確かに、あなたは何をすべきか知らない。無限の可能性がある。その多くがあなたには機能しなかった。多くのことを試したが、あなたが同じと見なす状況下で、それらは機能しなかった。探し回っても、何をすべきかあなたはわからない。ときに、何を手に入れたいかさえわからないことがある。けれども、立ち止まって考えれば、いつでも自分がどう感じたいかはわかる。

ここでゲームをしよう。「悲しむより幸せになりたい。貧乏より金持ちになりたい。腹をすかしているより満たされたい。意気消沈するより元気でありたい。弱いよりも、強くなりたい。散漫であるより、物事に集中していたい……」以上の言葉を口に出して言うのだ。自分がなりたい自分になるまで、なりたいと思うことを言い続けるのだ。

世間が健康の話題に関し、あなたのなかにネガティブな注意を喚起しているのをわたしたちは知っている。メディアや医師がガン、エイズ、気腫、糖尿病などの話題を持ち出すとき、それらのものをあなたに投げつけ、あなたの注意を向けさせているのだ。あなたはそれを聞いて、「いや、わたしには寄りつかない」と言う。こわばった表情をして、「いや、わたしには寄りつかない」と言うのだ。なぜあなたはそんなに大声で叫ぶのだろう？　なぜあなたの叫びはそんなにも力強いのだろう？　それは、あなたが自分の健康を危ぶんでいるからにほかならない。それらの話題はあなたを感化し、弱々しく感じさせるため、あなたは抵抗するのだ。さて、抵抗すると、何が起こるだろう？　あなたはその術中にはまるのだ。わたしたちが今夜、グループとして目指しているのは、今、あなたがたが完璧であることを認める場所を見つけることなのだ。あなたがたの人生経験に何の不足もないことを認めるのだ。あるのは一時的にゆがめられた現実の知覚にすぎない。ガンは体内でいかに広がっていようとも、その人の注意の向け方によって生み出された現実のゆがみにほかならない。彼はガンを抱え込んでしまうほど長くそれに注意を向けていたのだ。真実は、あなたの身体が完璧だということだ。

あなたの身体を見てもらいたい。身体のあらゆる細胞の内部に、もう一人のあなたがいるのをご存じだろうか？　あなたの細胞が絶え間なく再生しているのを理解しているだろうか？　あなたが何度も繰り返し生まれ変わっているのを知っているだろうか？　今ある身体は29年前（エスターは自分を永遠に29歳だと主張している）生まれたときの身体とは同じものではない。どうだ、わたしたちはよく学んでいるだろう？（聴衆：笑）

自分が完璧であることを認め、「そうです、わたしは健康です」と言ったら、一瞬そういう自分になりきってもらいたい。そのように感じられる場所に入り込んだ自分自身を思い浮かべるのだ。「そうです、わたしは素晴らしい母親です。そうです、わたしは最もクリエイティブなアーティストです。そうです、わたしは世界の思考と新しいアイデアの発案者です」そのような気持ちを強調する言葉を見つけてもらいたい。「そうです、わたしはここにいます」

友よ、あなたの仕事は……あなたがしなければならないことは「すること」とは関係ない。あなたの仕事は、自分の強さ、完璧さ、健康、才能、素晴らしさを感じられる地点に、どんな手を使ってでも、自分自身を持って行くことだ。自分に好感を抱ける地点に。もしわたしたちがあなたで、わたしたちに批判的な人物がいたら、その人物を遠ざけるだろう。その種の否定的な強化を必要としていないからだ。わたしたちがいつも考えていることで、欠如感をもたらすものがあったら、わたしたちはしばらくの間、意識してその話題を避けるだろう。言い換えれば、あなたの仕事は気持ちのいい地点に自分自身を持って行くことなのだ。なぜなら「すべてであるもの」の引き寄せの作用点になるのは、あなたの感情だからだ。
わたしたちが、「あなたは創造者だ」と言うと、家具を作る、家を建てる、帝国を築く、人間関係を作るといったことについて話しているのだとあなたは考える。だが、そうではない。あなたの存在状態の創造について話しているのだ。それを理解し、それに最大の注意を払えば、宇宙はあなたという存在をあなた自身も驚くような輝かしい物質的な衣装で包んでくれるだろう。あなたはそれを行動することによって行うことはできない。どのように感じたいかに焦点を当てることを通して行うのだ。

場違いの感覚

質問者　わたしを押しとどめているものはなんなんでしょう?

エイブラハム　何から?

質問者　わかりません。ここに属しているように感じたいとずっと言ってきました。

エイブラハム　この惑星に?

質問者　この惑星です。ここにいてもだいじょうぶだと感じたいんです。

エイブラハム　物質世界の同僚にはありふれたことだ。物質世界にいるわたしたちの友人は、自分の力を知っているきわめて進化した存在なので、ときどきそうした感情を持つ。この世の俗事に囚われているというらだたしい感情だ。自分が空に舞い上がることのできるワシであることを知っているのに、誰かに羽を切り取られ、「お前はワシだが、ここでは飛べないのだ」と言われるようなものだ。そこで、あなたは地上を歩き回り、飛ぶのがどんな感じだったかを思い出すが、地面から飛び立つことはできない。それが、今夜のあなたがたとの話し合いの要点なのだ。

世界の大多数の人は、今夜、わたしたちがここで話したことを聞く準備ができていない。別の言い方をすれば、彼らは自分の無限性を受け入れる用意ができていないのだ。宇宙というこの物質領域を遊び場として認識する準備ができていないのだ。だが、あなたにはその準備ができている。ただ、準備のできていない世界のなかで、準備のできていない人たちによって知的、精神的に育てられたため、いまだに右往左往しているのだ。あなたのなかには舞い上がる準備ができていて、実際に舞い上がる部分があるが、あなたがわたしたちに語るのは限界づけられているという感情だ。わたしたちが今夜ずっと話してきたのはその感情なのだ。

あなたが心地よく感じていないとしよう。鼻で息をすることができず、目がかすみ、全身が痛むとしよう。風邪と診断されたあなたは、惨めに感じる。そうした状況の下で、あなたは生命の恐怖を感じるだろうか？　その風邪はあなたの生命を脅かすだろうか？　脅かすことはない。なぜなら、これまでの症例から、回復を十分に期待できるからだ。一方、まだ治療法が知られていないガンは、あなたの生命を脅かす。というのも、これまでの症例が死を予感させるからだ。なぜガンが多くの人の命を奪うかわかっているだろうか？「ガン」という言葉があなたを恐怖で満たし、その恐怖があなたを死に追いやるのだ。わたしたちがこの例を持ち出したのは、身体がガンにかかりやすい（つまりもろい）という信念は、あなたが戦っている限界の一部だからだ。つまり、たくさんある信念の一つにすぎないのだ。

物質世界には、より大きな知識にそぐわない信念が数多くある。それゆえ、たまにあなたが立ち止まって、「この狂気の場所で、わたしは何をしているのだろう？　わたしたちが喜びだけを経験できる潜在能力を持っていることを知っているのに、なぜそれができないのだろう？」とつぶやくのも不思議ではない。まさにそのとおりなのだ。

情報を分かち合うわたしたちの務め

質問者　わたしはここにいるのを心から楽しんでいます。これはわたしにとって初めての体験なんですが、本当に興奮しています。わたしたちはすべて自分自身の道におり、異なったレベルにいます。わたしがお聞きしたいのは、「この悟りないし情報を他人と分かち合うわたしたちの務めは何か?」ということです。往々にして人々はあなたを質問攻めにし、自分の問題を一切合財ぶちまけます。彼らはなんらかの導きを欲しがっているんですが、あなたがいる場所やあなたが感じていることを受け入れる準備ができていません。そのような場に居合わせるのはとてもいら立つことです。あなたはわたしたちの務めはどこにあると思いますか?　どこから始まり、どこで終わるのでしょう?

エイブラハム　あなたは他人には責任を負っていない。自分自身に責任を負っているのだ。

一部の人はわたしたちに言う。「あなたたちは自己中心主義を教えている」と。それに対してわたしたちはこう答える。「自分自身を心地よい場所に連れていくには、自分自身の目を通して物事を見る視点を持つしかない。つまり、自己中心的でなければ、心地よい場所に自分を導くことができない。そして、心地よい場所にいないと、他人に何も提供できないのだ」と。

あなたが言うように、友人が「わたしたちを質問攻めに」したところで、それがあなたにとってどんな価値があるというのだろう？　だが、その友人が否定的な状態にあって、あなたが責任を感じ、義務感からなんとか助けようとしても、彼らはそれに抵抗するだけだろう。だからわたしたちが勧めるのは、はなから取り合おうとしないことなのだ。

わたしたちは彼らのために焦点を転換する。つまり、誰かがネガティブな感情に囚われているのを見たときにはいつも、彼らの「内なる存在」が「あなたは望んでいるものがあるが、反対方向に焦点を当てている」ことを彼らに告げていると理解する。そのあと、彼らが何を望んでいるかを想像する。普通、それは自由、成長、喜び、三つのうちの一つかいずれかの組み合わせとなる。彼らは大体にっちもさっちもいかなくなって息苦しく感じており、そうした閉塞感から、ネガティブなエネルギーを送り出しているのだ。わたしたちは立ち止まって、彼らがまったく自由であることを認める。彼らは自由だからこそ、自らの思考や感情によっていろいろなものを引き寄せるのだ。そう思うと、彼らに対していい感情がわいてくる。すると、彼らが望みのものを手に入れるところを思い描く。わたしたちが既に発見したことを、彼らが人生経験を通して発見するところを想像するのだ。だがわたしたちは、彼らがそれを発見することに責任を負っているとは考えない。ただ見ているだけなのだ。それからわたしたちは、彼らがそれを発見するための最高のお手本になろうとする。

もし袖をまくり上げて本気で彼らを助けたいと思うなら、彼らが得ているものと、彼らがこれまで考え、感じてきたこととが関連していることを、彼らが理解するのを助けてやってもいいだろう。そうでなければ、次のように言ってもいいかもしれない。

「わたしはそのように感じてきたけど、そのように感じれば感じるほど、それがエスカレートしていくことに気づいたんだ。だから、それにあまり注意を向けないようにしたんだ。そしたら、収まっていったよ」

要するに、一人ひとり違うということだ。あなたは彼らがどこにいるかに敏感でなければならない。そのことはよくわかるだろう。例えば、あなたが大学の高学年の学生に量子物理学を教える講師だとしよう。1年生の学生にそれを教えてもあまり楽しくないだろうし、教えられるほうも楽しめないだろう。関心のあり方があまりにかけ離れているため、コミュニケーションもうまくとれず、学生たちとの間に気まずい沈黙が流れるだろう。

世界の多くの人はあなたが理解していることを受け入れる準備ができていないが、

準備ができている人もいる。あなたがたがお互いに引き寄せ合っているように、準備ができている人は「引き寄せの法則」によってあなたに引き寄せられる。

だから耳をそばだてているよう勧めたい。触覚を伸ばしておくのだ。トレーシーはイルカが超音波探知器（もしくはレーダー）のようなものを持っていると言った。だが真実は、あなたがた全員が持っているのだ。センサーを全開にしておき、誰かと気持ちのいい会話をし、相手があなたの知っていることを受け入れる準備ができていると感じたら、それを提供してもらいたい。あなたがテニスプレイヤーだったら、プレイをする相手を選ぶとき、自分よりうまくないにしろ、同等にプレイができる人物を選んで楽しむだろう。

以上が、あなたに聞いてもらいたい基本的なポイントだ。あなたはハシゴを登るためにここにいるのではない。ここは価値を検証するグラウンドではない。あなたは自分が何かで価値があることを証明するためにここにいるのではない。あなたは自分の願望の力でここにいるのだ。この次元にあなたが現れたのは、これまでにあるものを超えて進むためだ。けれども、ほかの人たちより進みすぎていると、それを理解できない人たちにとって、あなたは価値がない。しかし、あなたを受け入れる準備ができている人にとっては価値がある。

あなたが人々に最大の貢献をするのは、わかりやすいお手本を示すことによってだ。

言葉では何も教えられないからだ。貢献するのはあなたの存在なのだ。わたしたちがあなたと交流する本当の理由はそこにある。わたしたちはあなたの住む物質社会ではほとんど価値を持たない。あなたの思考を刺激する言葉を言うことはできる。だが、ここにいる人たちを鼓舞し、元気づけるのはあなたの存在の仕方なのだ。どうか素晴らしい存在であってほしい。

人生を共同創造する術

質問者　たくさん質問があります。それらを凝縮して一つか二つの質問にまとめてみようと努力してきました。

エイブラハム　それはいいことだ。ここからは新しいセクションに入る。あなたはいくつかの質問をする時間枠を持っているわけだ。したがって、あなたの意図は「自分にとって最も大切な質問をします。わたしの人生に最も有益な質問です」ということになる。で、どんな質問だろう?

質問者　わたしは人と共同創造することに問題を抱えています。単にそれを理解していないか、納得できないようです。わたしが自分自身の人生を創造していることは早くからわかっていました。それはわたしにとってショックではありませんでした。実際、初めてエイブラハムのテープを聴いたとき、非常に感銘を受けました。はっきりとわかりましたし、誰もが自分の経験を生み出していることを理解できましたから。若いときわたしは、みんながゲームをしているのだと考えました。人生はゲームのようなものだと。行動が自分の手に負えないことを彼らが納得していることに、気づかなかったのです。

わたし自身、人生でたくさんのものを生み出してきました。けれども、わたしが見いだしたのは、たくさんの嫉妬や誤解でした……。

エイブラハム　あなたに対する、だろうか？

質問者　そうです。わたしは孤立し、寂しくなりました。わたしは嫉妬するのをやめました。それ以上、そんなことはできないと意識的に決断したのを覚えています。わたしはこの世の人生に適応していないと感じました。いくつかの人生の局面を通過してきましたが、現在、わたしがしようとしているのは、おそらくこれまでもずっとそうだったんでしょうが、自分にとって快適な場所を見つけることです。わたしが知っているほとんどの人は、そうした場所を知らなかったからです。わたしが自分の望むものを生み出すのを見ると、人々はいい顔をしませんでした。

人生を共同創造するということに関して言えば、現在、わたしはもう一つの大きな取引をやり終えたばかりです。パートナーと協力して、家を買おうとしたんです。わたしは自分の役割を果たしました。でも、彼が果たさなかったので、取引はおじゃんになりました。わたしはまた、彼やほかの人たちとテレビのシリーズ番組を制作する仕事をしています。それが信じられないほどイライラする仕事なんです。どうしてか全然波長が合わないからです。まとまりがなくて、身動きがとれないような感じなんです。わたしはすっかり欲求不満に陥っています。今は脚本も書けません。恐ろしい障害があって、先に書き進めないんです。ほかの人々を待っているような気がします。協力して働く方法がわかっていないような気がするんです。

エイブラハム　あなたの言葉にとても感謝する。あなたが述べたことは、この部屋にいる誰もが経験したことがあることだからだ。

共同創造は創造のアドバンスコースだ。有能な共同創造者になるには、創造がどのようにして行われるかを理解しなければならない。あなたはかなり若いときに、人生を創造することについて明瞭なイメージを持ったと言った。あなたが楽器のソリストのように、自分が望んでいるものの思考を送り出し、それを手に入れられることを知れば、手に入った。そのときに起こったのは、家庭の電気のような見えない世界のエネルギーをあなたの欲求や信念の思考で輪郭づけ、望みのものを得る、ということだった。あなたを認めなかった人たちは、あなたの豊かさが自分の乏しさを際立たせたため、嫉妬に駆られたのだ。あなたは「節目ごとの意図確認」をしなかったので——当時はそれを知らなかった——、あらゆる状況の下で気分よく感じるという考えを十分に理解していなかった。そのため、自分に対する否定的な影響力に惑わされ、エネルギーの一部を脇にそらさざるを得なかった。

要するに、あなたは信念の一部を反対方向に向け、こう言ったのだ。「わたしは金持ちで有名になりたい。だけど、友達も欲しい。それらは両立しないらしい。わたしはパワフルになりたい。だけど、パワフルになりすぎて、他人に疎まれたくはない。わたしは力をつけ、望みのものをすべて手に入れたい。だけど、うまく創造できない人たちの世界のなかで、目障りな人間にはなりたくない」それでどうなったかというと、あなたは他人の能力を信じ切れなくなった。信じようとすると、彼らの嫉妬を感じたからだ。そのため、自分ひとりでなら、なんでもできるが、他人と一緒に何かをしようとすると、彼らがそれを台なしにしてしまうのではないかと思うようになった。そういうことなのだ。

あなたが望んでいることはきわめてシンプルだ。こうして話しているだけでも、心が安らぐだろう。他人としっくりいかない理由もすぐにわかるはずだ。まず必要なのは、あなたが見たいものを、彼らのなかに探すことだ。そうすれば、彼らから肩の荷を下ろさせることになるだろう。

わかりやすい例を一つ話してあげよう。2、3歳の少女が欲しいものを見ている。少女はあなたでも十分にあり得る。実際、これはあなたの物語だと言っていい。少女は欲しいものを見て喜ぶ。欲しいものを見ている少女は、見えない世界のエネルギーを受け取る。自分の思考メカニズムのなかに入り込んできたエネルギーを、少女は自分が望む方向に導く。この時点で少女は、欲しいものを手に入れられないと信じる理由は持っていない。それゆえ、少女の思考、信念、欲求のすべてが同じ方向を向いている。少女はただ輝いている。「あ、それが欲しい！」と少女はあなたに言う。あなたは少女を手伝うために全力を尽くしている自分に気づくだろう。状況が変わり、少女の友達が少女に嫉妬している。あるいは、母親が「それは駄目」と言っている。そのため、少女は欲しいものを見ても、それが得られるとは思わない。そこで哀れっぽく泣いたり、ちょっとしたかんしゃくを起こしたりする。今、あなたはどう感じるだろう？　少女を助けようとするだろうか？　それとも、自分の部屋に行かせるだろうか？　宇宙はこのようにあなたに応えるのだ。

あなたの思考がすべて望んでいる方向に向かえば、望みのものはあなたのものになる。ところが、あなたは自分のエネルギーを一つの方向に向かわせなかった。外部からの影響によって、自分のエネルギーが分裂するのを許したのだ。

あなたはエネルギーがそれていなかったときを覚えていて、今、たびたびそれると言っている。その反旗を翻したエネルギーをかき集め、あなたが望んでいる方向に向かわせるために必要なのは、それていると感じた瞬間に焦点を転換し、悪いところを突き止め、自分が望んでいる方向を確認して、そちらの方向に注意を集中することだ。

あなたの話には一つの思考の流れ、言い換えれば、共通の脈絡がある。これに失望した、あれに失望した、あの人は自分の役割を果たさなかったという類の話だ。あなたがそうした(力強い)思考に走ると、ほとんどの人は抵抗できない。つまり、何かを共同でする場合、彼らにはそれができないだろうとあなたが考えると、そうなる確率が高い。しかし、彼らにはそれができるだろうと信じれば、あなたは彼らに影響を及ぼす。なぜなら、実際に彼らはそれをしたがっているからだ。

質問者　わたしはまた、自分が望まないことをいとも簡単に引き寄せます。

エイブラハム　それはあなたが大変パワフルだからだよ。あなたは生涯をかけてそうなったのだ。エスターも非常にパワフルだ。そのことを示すこんなエピソードがある。彼女はあるホテルに行って、一晩泊まった。ところが2泊分の請求をされたのだ。そこで電話をかけ、手紙を書いて、不満をぶちまけた。そのことを夫に話すと、彼は笑った。彼女が望んでいないことについて話しているのを知ったからだ。彼女はそれに気づくと、自分の立場を正当化した。「それはわたしの過ちじゃないわ。彼らの過ちよ。彼らが混乱したの」さほど時を経ずして、次のホテルも同じことをした。そして次のホテルも。それだけではない。レンタカー会社も同じことをしたのだ。「あなたは700〜800ドルを不正に使われるのが気に入らないんだと思う。それが7000〜8000ドルになるまで待ったらどうか」とわたしたちは提案した。エスターに意地悪するつもりで言ったのではない。彼女のなかにわき上がるエネルギーで、望まないことに注意を払っている限り、そのようにしかならないことを指摘したかったのだ。

わたしたちの友人が昨夜、鍛錬について語った。それが一つの対策になると信じているのだ。何かを成し遂げるためには、人は決断を下し、しつこくそれにしがみつかなければならないと思い込んでいるのだ。鍛錬は有益だが、気分がよくなる鍛錬をしてもらいたい。それが唯一あなたに必要な鍛錬だ。あなたを心地よくさせてくれることをする――話す、考える――と、決断してもらいたい。それがあなたの知る必要がある唯一のことだ。

あなたがたに何時間も話してきたことを一つの文章に凝縮すれば、こうなる。「あなたを気分よくさせてくれるものを探し、それに注意を払いなさい」

あなたは書くことに障害を持っていると言った。それはほかの障害と同じものだ。あなたは書きたいと願っているが、書くことを妨げられていると信じている。そう信じている限り、自分で望んでもあまりうまくいかないだろう。エスターと彼女の伴侶のジェリーは昨晩、あなたがたと同じように宿泊場所に車で向かっていた。非常に遅く、彼らは疲れ切っていた。旅の最後の行程を運転していたのはエスターだった。あまりに疲れていたので、車に乗っていても自分が安全であることに確信を持てなかった。物がややぼやけ、車の車輪が地面についているようには感じられなかった。運転していても車が言うことを聞いてくれず、車ごと宙に吊り上げられているような感じだった。そこで、彼女は、「わたしは疲れすぎていて、運転できない」と言った。すると即座に、もっと気力が衰えるのを感じた。それで彼女は言った。「ちょっと待って。宇宙のエネルギーを使えるわ。今、何のためにそれを使いたいの？　気分を一新したいんだわ。車のなかにいて安全だと感じたいの。わたしたちをベッドへと送り届けたいの」またたくまに、注意がよみがえり、気分が一新した。彼女は微笑み、車のなかを見回した。彼女にとって初めての車だった。遊べるものを探した。これは何？　車速設定装置だわ。どのように働くのだろう？　フロントガラスのワイパー。今や、彼女は運転しているだけではなく、車内を調べ、安全に家に向かって運行していた。この話の大切な部分は、路肩に車を停めて眠る以外に選択肢がないので、我慢して目的地までたどり着いた、ということではない。宇宙の力を活用できたために、楽しく家までドライブできた、ということだ。なぜ活用できたかというと、エスターがそれをどう活用したいか決めたからだ。部屋にたどり着くころには、エスターはダンスをしに出かけたくなっていた。これは、瞬間的創造ではないだろうか？

自分の身体に関し、自分が何を望み、どう感じたいかを決めてもらいたい。今、気分が悪いだろうか？　そうであるなら、「気分がよくなりたい。気分がよくなりたい。気分がよくなりたい。気分がよくなりたい。気分がよくなりたい。気分がよくなりたい。気分がよくなりたい」と言わなければならない。10回も言わないうちに、気分がよくなるだろう。「元気づけられたい。働きたい。それを紙に書きとめたい。世の中を鼓舞したい。これをしたい……」などあなたの望みを明確にするのだ。

望みを口に出して言い、それを手に入れるために、宇宙の力を活用してもらいたい。反対のことをするたびに、「内なる存在」はあなたを小突くだろう。それでもあなたがそれをし続ければ、もっと大きな突きを食らわせるだろう。あなたを叩きのめすためではない。それがあなたとの駆け引きだからだ。「内なる存在」はこう言うのだ。「あなたの思考がお互いに調和していないときはいつでも、どの思考が最も道から外れているかを知らせるために、あなたを軽く突つきます」

あなたがたは自分が知っている場所よりはるかにいい場所にいる。強烈な感情を感じているときが、創造するのに最もふさわしい機会だからだ。あなたがたはきわめて高い感情レベルにずっといた。今夜、ここに来たとき、あなたがたは焦点の転換を成し遂げたのだ。

今、自分がどう感じるかを判断してはならない。あなたがたは疲れている。わたしたちはあまりに長い間、話をしてきた。今は気分を一新するときだ。だが明朝、目覚めたとき、あなたがたはきっと今までになく、すっきりと目覚めるだろう。そのことをわたしたちは請け合う。

一日を次のようなプロセスで始めてもらいたい。3枚の紙を用意し、タイマーで15分セットする。1枚目の紙のてっぺんに、「感じたいこと」と書く。そして、1分間、自分がどう感じたいかを書く。「喜びを感じたい。自由を感じたい。元気だと感じたい。裕福に感じたい……」1分間だけでいい。次に2枚目の紙の頭に「持ちたいもの」と書き、7、8分、自分が持ちたいものを書く。「こんな関係を持ちたい。こんな家を持ちたい。このような靴を持ちたい。このような車を持ちたい。このような身体を持ちたい……」手に触れられるものでも、触れられないものでもかまわない。自分が持ちたいものを書き出すのだ。最後に、3枚目の紙に、「今日、わたしがすること」を7、8分かけて書いていく。20〜30日、このプロセスを用いれば、自分がしていることで自分の存在状態と調和するものが何かを発見するだろう。

これは、自分が自分と調和するプロセスであり、唯一大切なことだ。

あなたは宇宙から思考を受け取る。周囲の人間、物質世界の友人、見えない次元の友人からも思考を受け取る。それが価値のあるものかどうかは、それを受け取ってあなたがどう感じるかによって決まる。

あまり理解しようとしてはならない。ただ心地よい感情に集中するのだ。あなたが受け取る見えない世界のエネルギーの流れは、「電流」とよぶのがふさわしい。そのエネルギーの流れを受け取ったら、それで自分が何をするかを決めてもらいたい。

車中で起こった昨晩のエスターの体験は、宇宙の力が手の届くところにあることに気づく貴重な転換点になった。その瞬間のエスターは、今後永久に自分が望むものを決める必要などなかった。次のイベントにとって、より効果的な計画は何か、エイブラハムのセッションの仕方を変えるべきかどうかを決める必要などもなかった。その瞬間から先のことを何も決める必要がなかったのだ。彼女が言わなければならなかったのは、「今、わたしは何を求めているか」ということだけだった。そこで、エスターは、「幸せで、元気だと感じたい」と言った。あなたが必要なのはそれだけなのだ。いったんその場所に落ち着けば、ほかのすべてがそこからやってくる。

わたしたちはこのやり取りをとても楽しんできた。あなたがただけではなく、わたしたちにとっても非常に有益だった。「すべてであるもの」にとって有益だったのだ。小さな集まりだったが、見えない次元の側には何千という存在が座り、あなたがたが思考を提供してくれたおかげで、いろいろなことが明瞭になり、喜んでいる。この集まりはこれまでになかったものだ。完全にユニークな経験であり、あなたがたに参加してもらって、とても感謝している。

これから先、どうか楽しみを追い求めてもらいたい。その場所からほかのあらゆることがひらめくだろう。

ネガティブな感情にひたっていたら、楽しい活動など思いつかないだろう。そんなことはあり得ないのだ。それは法則に反する。だから、あなたを気分よくさせるものを何でもしてもらいたい。それから、もっと意図的に見守るのだ。もっと多くの時間、心地よく感じていられるよう、思考をコントロールしてもらいたい。そして、気持ちよくなる新しい習慣を育んでもらいたい。あなたがとても素早く習慣を育むことに気づいているだろうか？　この習慣はすぐに身につくだろう。「内なる存在」がその場所にいるからだ。あなたの「内なる存在」はあなたを心から敬っている。また、あなたのパワーと強さと価値をわかっている。あなたには、自分のなりたいものになれる能力、自分がしたいことをする能力、自分が持ちたいものを持てる能力があることも知っている。

あなたがたは大きな愛に包まれている。ここで終わろう。

訳者あとがき

長い間、人の心の問題に携わってきて、極端な言い方をするなら、この世には大きく分けて2種類の人間しかいないと思うようになった。被害者意識を持って生きる人と、そうではない人の2種類である。

被害者意識の強い人は、まあ、とにかく何かにつけて、ケチをつけたり、言い訳をしたりしたがる。いや、批判精神を持つことが悪いと言いたいのではない。ただ、それがあまりに高じると、人や物事の悪い面にばかり気をとられ、はなはだ愚痴っぽくなってしまうのだ。そういう人に限って、また、愚痴を言いたくなる出来事に巻き込まれたり、陰湿な上司の下についたりするものだ。

見えない世界の賢者の集合体であるエイブラハムに言わせれば、それも「引き寄せの法則」の働きの一つだということになる。

被害者意識の強い人は、自分を自分の人生の主人だと考えない。換言すれば、自分の人生に責任を負おうとしない。そのため、物事が自分の思いどおりにいかなかったり、不幸な出来事に見舞われたりすると、すぐに自分の外にスケープゴートを探し、責任を転嫁しようとする。そのような生き方をしている限り、願望実現はおろか、明るく楽しい人生は望めませんよとエイブラハムは言うのである。

エイブラハムがエスター・ヒックスの口を借りて、見えない世界の賢者たちの知恵を公開するようになったのは1986年のことだ。それから2年後の1988年、ヒックス夫妻は最初の著作『A New Beginning Ⅰ』を出版し、エイブラハムの人生哲学の基本的な考え方を紹介した。そして、翌年の1989年から全米ツアーを始めた。

本書は1991年に出版された『A New Beginning Ⅱ』(Abraham-Hicks Publications)の全訳である。全体が三つのパートで構成されており、最初のパートは、エイブラハムの人生哲学をひもとく格言集になっている。

二番目のパートでは、前著で提示された人生哲学の核をなす「引き寄せの法則」について、かなり突っ込んだ議論がなされている。そうした意味では、「引き寄せの法則」のマスターコースと言ってもいいかもしれない。実際、「引き寄せの法則」のあらましを知った人たちがこぞって読んでいるのがこの著作だといわれており、初版刊行以来、毎年のように版を重ねているのだ。

最後のパートはヒックス夫妻が行っているワークショップの実況中継である。「エイブラハムは何を望んでいるか？」「ヘルメットをかぶるという法律について」「ヒトラーについて考える」「人間はこの惑星を壊せるか？」「性転換について」など、実にバラエティに富んだテーマについて話し合われている。

エイブラハムの思想の核心は、「人生の基盤は絶対的な自由、人生の目的は絶対的な喜び、人生の結果は絶対的な成長である」という言葉に集約されているといっていいだろう。

現代は基本的に自由な社会である。民主主義社会とは、一人ひとりの民が自分の人生の主人になることを保証された社会であり、個々人が自分の生き方をデザインし、仕立てることができる社会なのだ。にもかかわらず、多くの人はいまだに心のなかに見えない恫喝者を住まわせており、選択の自由をうまく行使できないでいる。そうした心の障害を取り除き、今、ここの「楽園」を生きる方法を示してくれるのが、エイブラハムのスーパー・オプティミズムなのだ。

最後に、霊性の時代の啓蒙書ともいうべき本書の翻訳の機会を与えてくれたソフトバンク クリエイティブの錦織 新さんに感謝の意を表したい。

菅　靖彦

エスター・ヒックス、ジェリー・ヒックス
見えない世界にいる教師たちの集合体であるエイブラハムとの対話で導かれた教えを、1986年から仲間内で公開。お金、健康、人間関係など、人生の問題解決にエイブラハムの教えが非常に役立つと気づき、1989年から全米50都市以上でワークショップを開催、人生をよりよくしたい人たちにエイブラハムの教えを広めている。エイブラハムに関する著書、カセットテープ、CD、ビデオ、DVDなどが700以上もあり、日本では『引き寄せの法則　エイブラハムとの対話』『実践 引き寄せの法則』（当社）、『サラとソロモン』『「引き寄せの法則」のアメイジング・パワー』（ナチュラルスピリット）、『運命が好転する実践スピリチュアル・トレーニング』（PHP研究所）が紹介されている。

ホームページ
http://www.abraham-hicks.com/

「引き寄せの法則」公式サイト
http://blog.sbcr.jp/hikiyose/

菅 靖彦（すが・やすひこ）
1947年、岩手県に生まれる。日本トランスパーソナル学会副会長。癒し、自己成長、人間の可能性の探求をテーマに著作、翻訳、講座を手がけている。主な著書に『自由に、創造的に生きる』（風雲舎）、訳書に『この世で一番の奇跡』（オグ・マンディーノ、PHP研究所）『子どもの話にどんな返事をしてますか?』（ハイム・G・ギノット、草思社）『ザ・マスター・キー』（チャールズ・F・ハアネル、河出書房新社）などがある。

引《ひ》き寄《よ》せの法則《ほうそく》の本質《ほんしつ》
自由《じゆう》と幸福《こうふく》を求《もと》めるエイブラハムの源流《げんりゅう》

2008年8月5日　初版第1刷発行

著者　エスター・ヒックス＋ジェリー・ヒックス
訳者　菅《すが》 靖彦《やすひこ》
発行者　新田光敏
発行所　ソフトバンク クリエイティブ株式会社
〒107-0052　東京都港区赤坂4-13-13
☎ 03-5549-1201（営業部）
装幀　松田行正＋加藤愛子
DTP　クニメディア株式会社
印刷・製本　中央精版印刷株式会社

落丁本、乱丁本は小社営業部にてお取り替えいたします。

定価は、カバーに記載されています。

本書の内容に関するご質問等は、小社学芸書籍編集部まで必ず書面にてお願いいたします。

Printed in Japan
ISBN 978-4-7973-4676-3